Stéphane Vallée

Plus de 30 tests
pour se préparer et réussir !

5e année MATHÉMATIQUE

Illustrations : Agathe Bray-Bourret et Julien Del Busso
Couverture : Bruno Paradis
Illustration de la couverture : EyeWire Images
Révision : Audrey Faille
Correction d'épreuves : Richard Bélanger

Imprimé au Canada

ISBN 978-2-89642-414-6

Dépôt légal – Bibliothèque et Archives nationales du Québec, 2011

© 2011 Éditions Caractère inc.
1ʳᵉ impression

Canada

Visitez le site des Éditions Caractère
editionscaractere.com

TABLE DES MATIÈRES

Plus de 30 tests pour se préparer et réussir est un ouvrage qui s'adresse aux parents qui souhaitent aider leur enfant à développer ou à étendre leur champ de compétences en mathématique. Les activités qui le composent visent à déterminer les notions acquises et celles qui nécessitent une attention particulière.

Cet ouvrage couvre l'ensemble des savoirs essentiels contenus dans le Programme de formation de l'école québécoise. Votre enfant pourra ainsi réviser ce qui est appris tout au long de l'année scolaire. Aussi, on n'a pas à suivre l'ordre des sections : votre jeune peut approfondir et consolider les concepts et processus selon le moment où ils sont abordés par son enseignant ou son enseignante.

Le principe est simple : un premier test portant sur un sujet déterminé vous donnera une idée de ce que votre enfant a acquis et des éléments devant être travaillés. Si le premier test est réussi, le suivant, qui porte sur un autre sujet, peut alors être entamé. Si vous voyez que votre enfant éprouve des difficultés, une série d'exercices lui permettra de s'entraîner. Un deuxième test est donné après la première série d'exercices dans le but de revérifier la compréhension de votre enfant. Si ce test est réussi, le suivant devient alors son prochain défi, sinon une autre série d'exercices lui permettra de se perfectionner. Chacun des 17 chapitres de cet ouvrage est ainsi divisé.

Les exercices proposés sont variés et stimulants. Ils favorisent une démarche active de la part de votre enfant dans son processus d'apprentissage et s'inscrivent dans la philosophie du Renouveau pédagogique.

Cet ouvrage vous donnera un portrait global des connaissances de votre enfant et vous permettra de l'accompagner dans son cheminement scolaire.

Le corrigé de cette nouvelle édition fournit les explications nécessaires pour résoudre les problèmes mathématiques afin de mieux vous outiller pour aider votre enfant.

Bon travail !

Stéphane Vallée

1. Écris les nombres suivants en lettres.

a) 40 054 _____

b) 79 235 _____

c) 342 786 _____

d) 997 073 _____

e) 230 892 _____

f) 777 444 _____

2. Compare les nombres en utilisant le symbole <, > ou =.

a) 606 550 _____ 660 055

b) 78 459 _____ 59 874

c) 5^3 _____ 125

d) 432 178 _____ 423 817

e) 4^4 _____ 250

f) 357 901 _____ 357 910

g) 708 328 _____ 780 238

h) 6562 _____ 9^4

3. Trouve la valeur de position du ou des chiffres soulignés.

a) 86 4̲32 _____

b) 39̲ 574 _____

c) 54̲8̲ 274 _____

d) 850 28̲3 _____

e) 497̲ 3̲49 _____

f) 2̲06 891 _____

g) 9̲24 387 _____

h) 510 01̲0 _____

4. Place les nombres dans l'ordre décroissant.

89 975	78 995	79 589	957 895	998 755
855 979	597 895	85 795	578 599	759 859
598 957	87 599	85 979	578 959	955 789

_____

_____

_____

Test

5. Complète les suites de nombres en respectant la règle.

a) – 5   62 716, _____, _____, _____, _____, _____

b) + 11   29 948, _____, _____, _____, _____, _____

c) – 8   354 027, _____, _____, _____, _____, _____

d) + 4, – 6   591 679, _____, _____, _____, _____, _____

e) – 2, + 7   90 000, _____, _____, _____, _____, _____

f) + 20, – 10   705 055, _____, _____, _____, _____, _____

6. Encercle les nombres pairs, souligne les nombres qui ont un 8 à la position des dizaines de mille, fais un X sur les nombres impairs et encadre les nombres qui ont un 3 à la position des unités.

805 479	453 267	124 893	246 754	900 000
781 541	285 892	352 179	649 753	386 494

7. Transforme les nombres écrits en chiffres romains en nombres écrits en chiffres arabes.

a) DCLVI = _____   b) CCXLIII = _____   c) CDXCIX = _____

d) LXXXV = _____   e) CCCLXXXIV = _____   f) MXLVIII = _____

8. Trouve les réponses aux transformations demandées.

	Puissance 0	Puissance 1	Puissance 2	Puissance 3	Puissance 4
a) 1	_____	_____	_____	_____	_____
b) 2	_____	_____	_____	_____	_____
c) 3	_____	_____	_____	_____	_____
d) 4	_____	_____	_____	_____	_____
e) 5	_____	_____	_____	_____	_____
f) 6	_____	_____	_____	_____	_____

Test

1. **Les banquiers doivent déposer dans les comptes de leurs clients les montants qui sont écrits sur les chèques. Aide-les à transposer les nombres suivants en chiffres.**

    a) six cent trente-deux mille cinq cent cinquante et un　　_____

    b) soixante-dix-huit mille vingt-quatre　　_____

    c) cinq cent six mille deux cent quatre-vingt-dix-sept　　_____

    d) neuf cent soixante-trois mille neuf cent seize　　_____

    e) soixante et onze mille quatorze　　_____

    f) huit cent quinze mille quatre cent quarante-huit　　_____

2. **De nos jours, chaque voiture est munie d'un odomètre, un appareil servant à mesurer le trajet parcouru en kilomètres. Trouve le kilométrage de l'automobile des parents de Sarah en suivant les consignes.**

331 526	333 398	207 974	540 001	218 375	171 396	775 727	412 368
207 951	894 264	91 985	312 373	685 536	488 855	186 434	291 999
535 247	905 741	322 922	400 034	923 954	207 977	711 539	204 755
198 296	243 519	492 087	911 236	700 071	580 888	400 662	536 690
448 905	796 601	802 223	541 899	495 637	396 543	964 756	495 167
799 802	310 111	206 995	479 653	205 487	423 351	88 087	266 664
538 985	470 753	199 756	207 949	978 040	206 199	542 322	409 255
527 536	945 662	537 713	355 455	499 662	644 449	415 760	990 900

Biffe tous les nombres qui ont un 5 à la position des centaines.

Biffe tous les nombres qui sont plus petits que 207 950.

Biffe tous les nombres qui commencent et terminent par le même chiffre.

Biffe tous les nombres qui ont un 4 à la position des centaines de mille.

Biffe tous les nombres plus grands que 796 600.

Biffe tous les nombres qui contiennent quatre fois le même chiffre.

Biffe tous les nombres qui se situent entre 534 871 et 543 178.

Biffe tous les nombres qui ont un 7 à la position des dizaines.

L'odomètre de l'automobile

des parents de Sarah indique _____ km.

Exercices

3. **Maxime s'efforce d'assembler les pièces d'un puzzle mathématique.**
Donne-lui un coup de pouce en recomposant chaque nombre.

a) 5000 + 70 + 60 000 + 8 + 300 000 + 400 _____

b) 2 + 100 000 + 300 + 90 + 80 000 + 2000 _____

c) 700 + 9 + 40 000 + 6000 + 80 + 900 000 _____

d) 40 + 600 000 + 3000 + 7 + 900 _____

e) 90 000 + 800 + 4 + 500 000 _____

f) 800 000 + 30 + 7000 + 6 _____

g) 300 + 200 000 + 90 000 _____

4. **Amélie a inventé une machine à transformer les nombres par l'entremise**
d'opérations diverses. Complète les suites de nombres, puis indique
les règles à suivre.

a) 25 326, 25 330, 25 334, _____, _____, _____, _____   règle : _____

b) 83 279, 83 274, 83 269, _____, _____, _____, _____   règle : _____

c) 16 045, 16 055, 16 075, _____, _____, _____, _____   règle : _____

d) 74 863, 74 862, 74 860, _____, _____, _____, _____   règle : _____

e) 52 708, 52 711, 52 707, _____, _____, _____, _____   règle : _____

f) 632 194, 632 185, 632 176, _____, _____, _____, _____   règle : _____

g) 498 020, 498 031, 498 042, _____, _____, _____, _____   règle : _____

5. **Les mathématiciens et les physiciens utilisent souvent**
des formules qui comportent des nombres avec exposants.
Exprime chaque équation sous forme de puissance.

a) 2 x 2 x 2 _____

b) 6 x 6 _____

c) 3 x 3 x 3 x 3 x 3 x 3 _____

d) 9 x 9 x 9 x 9 _____

e) 8 x 8 x 8 x 8 x 8 _____

f) 5 x 5 x 5 x 5 x 5 x 5 x 5 _____

g) 4 _____

h) 7 x 7 x 7 _____

Exercices

6. **La maison des jeunes organise un bal masqué à l'occasion de l'Halloween. En complétant son devoir de mathématique, Benjamin imagine que les nombres peuvent aussi se déguiser. Transforme en nombres naturels les nombres exprimés sous forme exponentielle.**

   a) $10^3 =$ _____

   b) $5^4 =$ _____

   c) $7^2 =$ _____

   d) $4^3 =$ _____

   e) $3^5 =$ _____

   f) $6^4 =$ _____

7. **Place les nombres dans l'ordre croissant.**

   7^4 $500 + 30 + 2000$ 3 u de mille + 7 c + 8 d 9^3 2639

   3296 15^3 $200 + 3000 + 8 + 70$ 3629   2 u de mille + 9 c + 5 u

   _____

   _____

   _____

8. **En se promenant dans la rue, Charlotte se rend compte que toutes les adresses du côté sud sont paires et que toutes celles du côté nord sont impaires. Écris tous les nombres impairs compris entre 752 078 et 752 110.**

   _____

   _____

   _____

9. **Dans l'Antiquité, les Romains n'utilisaient que 7 symboles pour l'écriture des nombres : le I (1), le V (5), le X (10), le L (50), le C (100), le D (500) et le M (1 000). Écris les nombres en chiffres romains.**

   a) 548 = _____

   b) 981 = _____

   c) 1325 = _____

   d) 764 = _____

   e) 2050 = _____

   f) 3633 = _____

   g) 819 = _____

   h) 1111 = _____

Exercices

10. En vacances à la mer, Audrey a trouvé sur le sable un petit animal invertébré nommé astérie. Découvre ce qu'est une astérie en reliant les points dans l'ordre croissant.

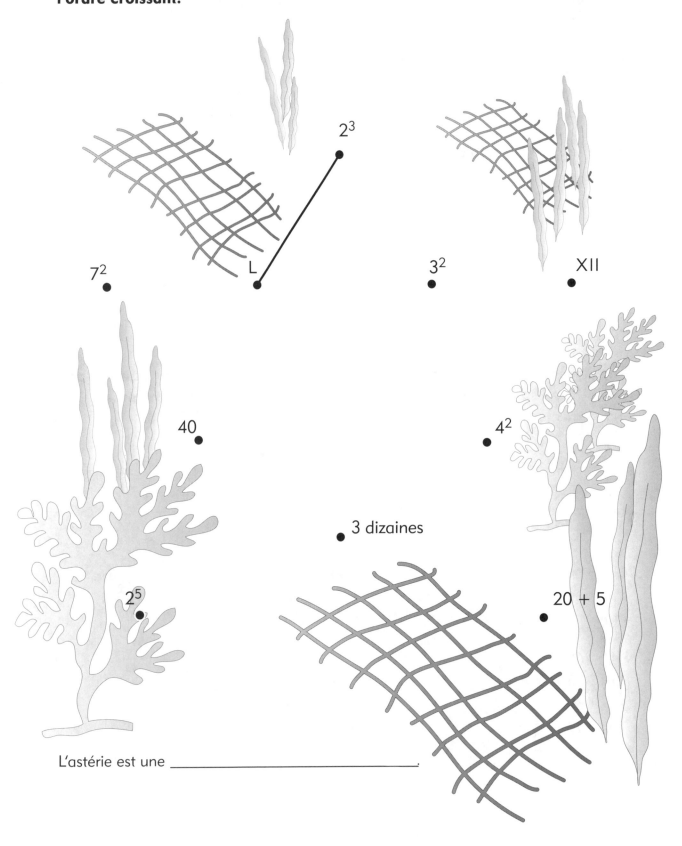

L'astérie est une _____.

Exercices

1. Décompose les nombres de deux façons.

Exemple : 256 397 = 200 000 + 50 000 + 6000 + 300 + 90 + 7

2 c de mille + 5 d de mille + 6 u de mille + 3 c + 9 d + 7 u

a) 34 752 _____

_____

b) 59 873 _____

_____

c) 90 607 _____

_____

d) 182 365 _____

_____

e) 476 931 _____

_____

f) 602 370 _____

_____

2. Place les nombres sur la droite numérique.

2^2 15 3^3 29 5^2 9^1 12 10^0 4^2 8

0 _____ 30

3. Arrondis les nombres suivants.

	À la dizaine de mille près	À l'unité de mille près	À la centaine près
a) 54 329			
b) 76 854			
c) 307 329			
d) 581 887			
e) 623 754			

Test

1. **Édouard a la mauvaise habitude de décomposer les nombres pour faire fâcher sa petite sœur. Trouve ce qui manque pour compléter les égalités.**

   a) 379 845 =   70 000 + 40 + 300 000 + 800 + 5 + _____

   b) 506 431 =   30 + 500 000 + 1 + _____ + _____

   c) 823 662 =   600 + 20 000 + 3000 + _____ + _____ + _____

   d) 248 723 =   200 000 + 3 + 8000 + _____ + _____ + _____

   e) 497 254 =   4 c de mille + 2 c + 7 u de m + 4 u + 9 d de mille + _____

   f) 681 993 =   9 d + 8 d de mille + 9 c + 3 u + _____ + _____

   g) 920 567 =   5 c + 7 u + _____ + _____ + _____

   h) 715 089 =   8d + 1 d de mille + _____ + _____ + _____

2. **Lorsque son enseignante a abordé les puissances, Alexandre s'est imaginé que les nombres étaient des superhéros capables de se transformer à leur guise. Transforme chaque puissance en équations, puis indique le nombre obtenu. Tu peux utiliser la calculatrice pour effectuer tes calculs.**

   Exemple : $4^3 = 4 \times 4 \times 4 = 64$

   a) $5^3 =$ _____ = _____

   b) $3^4 =$ _____ = _____

   c) $2^5 =$ _____ = _____

   d) $7^3 =$ _____ = _____

   e) $6^3 =$ _____ = _____

   f) $4^4 =$ _____ = _____

   g) $8^4 =$ _____ = _____

   h) $9^3 =$ _____ = _____

Exercices

3. Camille trouve que son père est parfois flou dans ses explications. Elle a donc décidé d'en faire de même en estimant les réponses de son devoir de mathématique. Remplis le tableau en arrondissant les nombres.

	À la centaine de mille près	À l'unité de mille près	À la dizaine près
a) 910 791			
b) 777 444			
c) 333 888			
d) 207 852			
e) 857 476			
f) 428 335			
g) 369 123			
h) 616 479			

4. La petite Alice ne cesse d'interroger son entourage sur tous les sujets qui lui passent par la tête. Réponds aux questions qui suivent.

a) Combien y a-t-il de dizaines en tout dans 468 342 ? _____

b) Quel chiffre est à la position des unités dans 723 458 ? _____

c) Combien y a-t-il d'unités de mille en tout dans 641 895 ? _____

d) Quel chiffre est à la position des dizaines de mille dans 834 623 ? _____

e) Combien y a-t-il de centaines en tout dans 279 536 ? _____

f) Quel chiffre est à la position des centaines dans 904 852 ? _____

g) Quel nombre donne $10^5 + 10^4 + 10^3 + 10^2 + 10^1 + 1$? _____

h) Quel nombre donne 25 unités de mille + 48 dizaines ? _____

i) Quel nombre donne 76 dizaines de mille + 19 centaines + 32 unités ? _____

j) Quel nombre donne 4 dizaines + MMM + 300 + VII ? _____

Exercices

5. Nathan a découvert qu'il existe plusieurs façons d'écrire un même nombre. Complète le tableau en respectant les consignes.

	Écris le nombre en chiffres arabes.	Écris le nombre en chiffres romains.	Décompose le nombre en base 10.
Exemple: Trois mille neuf cent quatre-vingt-deux	3982	MMMCMLXXXII	3000 900 80 2
a) Deux mille cinq cent seize			
b) Mille deux cent soixante et onze			
c) Trois mille neuf cent quatre-vingt-dix-neuf			
d) Trois cent trente-six			
e) Sept cent cinquante-quatre			
f) Huit cent quinze			
g) Mille soixante-dix-huit			
h) Deux mille quatre cent soixante-deux			

Exercices

1. Colorie les parties manquantes afin d'obtenir les fractions indiquées.

a) $\dfrac{7}{12}$

b) $\dfrac{2}{3}$

c) $\dfrac{4}{5}$

d) $\dfrac{8}{9}$

e) $\dfrac{3}{8}$

f) $\dfrac{5}{7}$

2. Encercle le nombre d'étoiles qui équivaut à la fraction.

a) $\dfrac{2}{5}$ ★ ★ ★ ★ ★
★ ★ ★ ★ ★

b) $\dfrac{6}{7}$ ★ ★ ★ ★ ★ ★
★ ★ ★ ★ ★ ★

c) $\dfrac{1}{6}$ ★ ★ ★ ★ ★ ★ ★ ★
★ ★ ★ ★ ★ ★ ★ ★

d) $\dfrac{3}{4}$ ★ ★ ★ ★ ★ ★ ★ ★ ★ ★
★ ★ ★ ★ ★ ★ ★ ★ ★ ★

e) $\dfrac{5}{8}$ ★ ★ ★ ★ ★ ★ ★ ★
★ ★ ★ ★ ★ ★ ★ ★

f) $\dfrac{1}{4}$ ★ ★ ★ ★ ★ ★ ★ ★
★ ★ ★ ★ ★ ★ ★ ★

3. Place les fractions dans l'ordre croissant.

$$\dfrac{3}{8} \qquad \dfrac{1}{2} \qquad \dfrac{1}{3} \qquad \dfrac{3}{4} \qquad \dfrac{11}{24} \qquad \dfrac{5}{6} \qquad \dfrac{7}{8} \qquad \dfrac{1}{4} \qquad \dfrac{1}{6} \qquad \dfrac{5}{12}$$

_____

_____

4. Compare les fractions en utilisant le symbole <, > ou =.

a) $\dfrac{1}{3}$ _____ $\dfrac{1}{5}$

b) $\dfrac{2}{5}$ _____ $\dfrac{1}{8}$

c) $\dfrac{1}{4}$ _____ $\dfrac{2}{8}$

d) $\dfrac{3}{5}$ _____ $\dfrac{3}{10}$

e) $\dfrac{6}{12}$ _____ $\dfrac{1}{2}$

f) $\dfrac{3}{4}$ _____ $\dfrac{5}{6}$

g) $\dfrac{1}{2}$ _____ $\dfrac{7}{8}$

h) $\dfrac{4}{7}$ _____ $\dfrac{5}{14}$

i) $\dfrac{2}{3}$ _____ $\dfrac{4}{5}$

Test

5. Place les fractions sur la droite numérique.

$$\frac{3}{5} \qquad \frac{27}{30} \qquad \frac{2}{3} \qquad \frac{1}{6} \qquad \frac{2}{5} \qquad \frac{7}{10} \qquad \frac{5}{6} \qquad \frac{9}{20} \qquad \frac{1}{10} \qquad \frac{3}{20}$$

0   1

6. Réduis chaque fraction à sa plus simple expression.

a) $\frac{10}{25} =$ _____

b) $\frac{3}{9} =$ _____

c) $\frac{6}{12} =$ _____

d) $\frac{7}{21} =$ _____

e) $\frac{4}{10} =$ _____

f) $\frac{25}{100} =$ _____

g) $\frac{12}{28} =$ _____

h) $\frac{15}{36} =$ _____

i) $\frac{16}{24} =$ _____

7. Encercle les fractions irréductibles.

$\frac{5}{15}$	$\frac{7}{28}$	$\frac{10}{16}$	$\frac{7}{13}$	$\frac{16}{25}$
$\frac{14}{21}$	$\frac{20}{33}$	$\frac{6}{14}$	$\frac{18}{27}$	$\frac{35}{40}$
$\frac{19}{38}$	$\frac{8}{19}$	$\frac{12}{26}$	$\frac{11}{44}$	$\frac{15}{43}$
$\frac{13}{100}$	$\frac{20}{25}$	$\frac{4}{22}$	$\frac{24}{32}$	$\frac{6}{8}$

8. À l'animalerie, on compte 25 poissons exotiques dans un aquarium. Le lundi, 8 clients achètent chacun 2 poissons. Le mardi, le propriétaire fait l'acquisition de 10 nouveaux poissons qu'il dépose dans le réservoir. Le mercredi, 4 clients repartent chacun avec 3 poissons. Le jeudi, 5 œufs éclosent pour donner 5 bébés poissons. Quel <u>pourcentage</u> de poissons reste-t-il dans l'aquarium le jeudi soir en comparaison avec le nombre de poissons comptés le lundi ?

Démarche :

Réponse : Il reste _____ % de poissons.

Test

1. Représente puis compare les fractions en utilisant le symbole <, > ou =.

a) $\dfrac{7}{12}$ $\dfrac{3}{4}$

   ◯   

b) $\dfrac{1}{6}$ $\dfrac{1}{8}$

◯   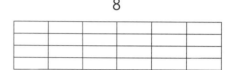

c) $\dfrac{1}{4}$ $\dfrac{3}{12}$

◯   

d) $\dfrac{13}{24}$ $\dfrac{7}{12}$

   ◯   

e) $\dfrac{2}{3}$ $\dfrac{5}{8}$

◯   

2. Transforme les pourcentages en fractions irréductibles.

a) 48 % = ____$\dfrac{12}{25}$____   b) 75 % = _____   c) 25 % = _____

d) 10 % = _____   e) 36 % = _____   f) 40 % = _____

g) 60 % = _____   h) 80 % = _____   i) 55 % = _____

j) 70 % = _____   k) 32 % = _____   l) 12 % = _____

Exercices

3. Associe les fractions équivalentes en les reliant par un trait.

a) $\dfrac{2}{3}$ •

b) $\dfrac{4}{7}$ •

c) $\dfrac{1}{2}$ •

d) $\dfrac{3}{4}$ •

e) $\dfrac{5}{6}$ •

f) $\dfrac{2}{9}$ •

g) $\dfrac{1}{3}$ •

h) $\dfrac{7}{10}$ •

i) $\dfrac{4}{9}$ •

j) $\dfrac{2}{5}$ •

• $\dfrac{6}{27}$

• $\dfrac{16}{28}$

• $\dfrac{8}{18}$

• $\dfrac{21}{30}$

• $\dfrac{10}{15}$

• $\dfrac{10}{12}$

• $\dfrac{18}{24}$

• $\dfrac{14}{35}$

• $\dfrac{7}{14}$

• $\dfrac{7}{21}$

4. Transforme les fractions en pourcentages.

a) $\dfrac{47}{100}$ = _____

b) $\dfrac{8}{10}$ = _____

c) $\dfrac{3}{5}$ = _____

d) $\dfrac{3}{4}$ = _____

e) $\dfrac{13}{50}$ = _____

f) $\dfrac{9}{20}$ = _____

g) $\dfrac{11}{25}$ = _____

h) $\dfrac{3}{20}$ = _____

i) $\dfrac{1}{4}$ = _____

5. Encercle le 0 ou le 1 selon que la fraction est plus près de l'un ou de l'autre.

a)   0 $\dfrac{1}{3}$ 1

b)   0 $\dfrac{3}{4}$ 1

c)   0 $\dfrac{2}{7}$ 1

d)   0 $\dfrac{2}{5}$ 1

e)   0 $\dfrac{7}{9}$ 1

f)   0 $\dfrac{1}{6}$ 1

g)   0 $\dfrac{5}{8}$ 1

h)   0 $\dfrac{4}{10}$ 1

Exercices

6. **Tous les crocodiliens (alligators, caïmans, crocodiles et gavials) du Jardin zoologique préfèrent les grandes quantités de crustacés aux petites quantités de poissons. Ils ouvrent la gueule et se dirigent aussitôt vers leur repas. Compare les fractions et les pourcentages en utilisant le symbole <, > ou =.**

a) 30 % _____ $\dfrac{1}{3}$ b) $\dfrac{3}{5}$ _____ 60 %   c) 80 % _____ $\dfrac{3}{4}$

d) $\dfrac{1}{2}$ _____ 55 %   e) 85 % _____ $\dfrac{9}{10}$ f) $\dfrac{37}{50}$ _____ 75 %

g) 28 % _____ $\dfrac{1}{4}$ h) $\dfrac{11}{20}$ _____ 55 %   i) 85 % _____ $\dfrac{4}{5}$

7. **Dans un restaurant, quand le chef pâtissier sert ses fameux gâteaux au chocolat, personne ne peut prédire quel pourcentage sera mangé. Représente chaque pourcentage de gâteau en coloriant le nombre approprié de morceaux.**

a) 20 %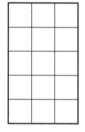

b) 10 %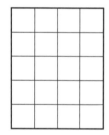

c) 25 %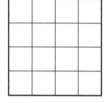

d) 50 %

e) 40 %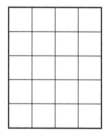

f) 60 %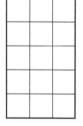

g) 75 %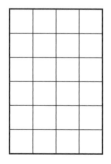

h) 45 %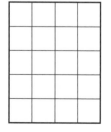

Exercices

1. **Émilie et Catherine ont fait du jardinage. Émilie a mis en terre 45 graines de tomate. Catherine en a semé l'équivalent des 3/5 en graines de concombre. Combien de graines de concombre Catherine a-t-elle plantées ?**

   Démarche :

   Réponse : Catherine a planté _____ graines de concombres.

2. **Paolo possède une collection composée de 60 voitures miniatures. Mathieu possède l'équivalent des 2/3 de la collection de Paolo. Combien de voitures miniatures Mathieu possède-t-il dans sa collection ?**

   Démarche :

   Réponse : Mathieu possède _____ voitures miniatures dans sa collection.

3. **Des coureurs s'inscrivent à une course de relais de 100 km. Les équipes ne comptent pas toutes le même nombre de participants. Les membres de l'équipe A doivent chacun parcourir 1/4 du trajet, et ceux de l'équipe B doivent en parcourir le 1/5. Combien de kilomètres doivent parcourir chaque membre de l'équipe A et chaque membre de l'équipe B ?**

   Démarche :

   Réponse : Chaque membre de l'équipe A doit parcourir _____ km.

   Chaque membre de l'équipe B doit parcourir _____ km.

Test

1. Trouve le pourcentage de chaque nombre en laissant des traces de tes calculs.

Exemple :   25 % de 40 = $25 \times 40 \div 100 =$ $1000 \div 100 = 10$

a) 30 % de 30 = _____

b) 40 % de 60 = _____

c) 75 % de 72 = _____

d) 25 % de 96 = _____

e) 15 % de 500 = _____

f) 35 % de 700 = _____

2. Trouve 5 fractions équivalentes pour chaque fraction suivante.

a) $\dfrac{3}{7}$: _____, _____, _____, _____, _____

b) $\dfrac{2}{5}$: _____, _____, _____, _____, _____

c) $\dfrac{1}{3}$: _____, _____, _____, _____, _____

d) $\dfrac{3}{4}$: _____, _____, _____, _____, _____

e) $\dfrac{7}{10}$: _____, _____, _____, _____, _____

f) $\dfrac{4}{9}$: _____, _____, _____, _____, _____

3. Colorie les cases afin de trouver la réponse à chaque équation.

a) $\dfrac{2}{5} + \dfrac{1}{4} = \dfrac{}{20}$ b) $\dfrac{3}{10} + \dfrac{1}{2} = \dfrac{}{20}$ c) $\dfrac{3}{4} + \dfrac{1}{10} = \dfrac{}{20}$

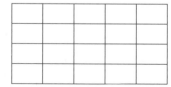      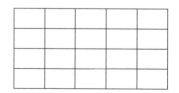

Exercices

4. Transforme les fractions en nombres fractionnaires.

a) $\dfrac{11}{2}$ = _____

b) $\dfrac{26}{3}$ = _____

c) $\dfrac{15}{8}$ = _____

d) $\dfrac{27}{5}$ = _____

e) $\dfrac{68}{9}$ = _____

f) $\dfrac{35}{4}$ = _____

g) $\dfrac{69}{10}$ = _____

h) $\dfrac{54}{7}$ = _____

i) $\dfrac{37}{6}$ = _____

5. Trouve de quelles fractions sont issus les nombres fractionnaires.

a) $3\dfrac{5}{8}$ = _____

b) $4\dfrac{2}{3}$ = _____

c) $9\dfrac{4}{5}$ = _____

d) $2\dfrac{3}{10}$ = _____

e) $6\dfrac{1}{4}$ = _____

f) $7\dfrac{5}{6}$ = _____

g) $8\dfrac{1}{2}$ = _____

h) $1\dfrac{7}{10}$ = _____

i) $5\dfrac{5}{9}$ = _____

6. Représente les nombres fractionnaires en coloriant le nombre de cases approprié.

a) $4\dfrac{1}{4}$

b) $3\dfrac{1}{2}$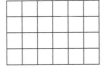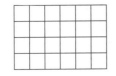

c) $1\dfrac{3}{4}$

d) $2\dfrac{5}{6}$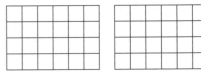

e) $3\dfrac{2}{3}$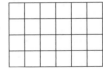

Exercices

24

1. Décompose les nombres décimaux de deux façons.

Exemple : 57,483 = $50 + 7 + \dfrac{4}{10} + \dfrac{8}{100} + \dfrac{3}{1000}$

5 dizaines + 7 unités + 4 dixièmes + 8 centièmes + 3 millièmes

a)   468,59 = _____

_____

b)   35,716 = _____

_____

c) 895,044 = _____

_____

d)   610,37 = _____

_____

e)   92,292 = _____

_____

2. Place les nombres décimaux dans l'ordre croissant.

47,96	6,974	64,79	4,697	7,469	4,796
7,649	69,74	74,69	6,794	49,67	76,94

_____

_____

3. Compare les nombres décimaux en utilisant le symbole <, > ou =.

a) 64,59 _____ 64,587   b) 23,8 _____ 23,80

c) 78,2 _____ 78,211   d) 90,07 _____ 90,071

e) 5,09 _____ 5,9   f) 44,44 _____ 4,444

g) 32,79 _____ 327,9   h) 98,76 _____ 786,9

i) 816,3 _____ 361,8   j) 9,999 _____ 10

Test

4. Entoure le nombre fractionnaire équivalent au nombre décimal.

a)   **7,36** $7\frac{36}{1000}$ $7\frac{9}{25}$ $7\frac{1}{3}$

b)   **25,2** $25\frac{1}{5}$ $25\frac{1}{2}$ $25\frac{1}{50}$

c)   **9,04** $9\frac{4}{25}$ $9\frac{2}{5}$ $9\frac{1}{25}$

d)   **3,55** $3\frac{5}{11}$ $3\frac{3}{5}$ $3\frac{11}{20}$

e)   **6,008** $6\frac{1}{125}$ $6\frac{2}{5}$ $6\frac{2}{25}$

f)   **59,64** $59\frac{8}{25}$ $59\frac{16}{25}$ $59\frac{16}{125}$

5. Place chaque nombre décimal sur la droite numérique en marquant son emplacement au moyen d'un point de couleur.

9,5   9,02   9,25   9,8   9,990   9,75   9,85   9,06   9,1   9,050

6. Recompose les nombres décimaux à partir des expressions.

a) $\frac{7}{10}$ + 900 + 80 + $\frac{6}{100}$ + 5   _____

b) 3 dizaines + 2 dixièmes + 1 centaine + 4 millièmes   _____

c) 70 + $\frac{6}{100}$ + 9 + $\frac{2}{1000}$ + 3 000   _____

d) 48 dizaines + 15 dixièmes + 27 millièmes   _____

e) $\frac{9}{1000}$ + 8 centaines + 7 dixièmes + 6   _____

f) 24 centaines + 0,07 + 5 dizaines + 0,3   _____

g) 0,07 + 40 + 0,9 + 6 + 0,002   _____

h) 354 centièmes + 2 millièmes + 79 dizaines   _____

Test

1. Représente les nombres décimaux en coloriant le nombre de cases approprié.

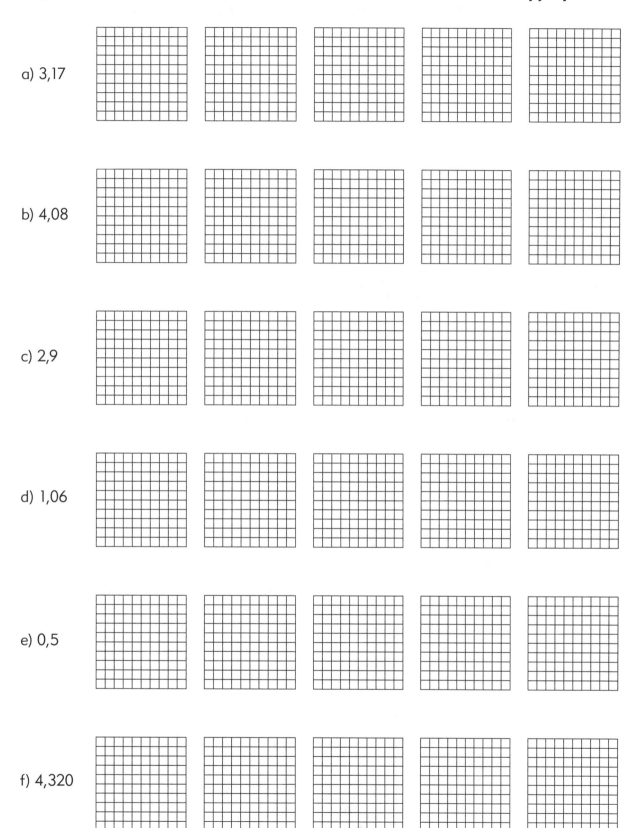

a) 3,17

b) 4,08

c) 2,9

d) 1,06

e) 0,5

f) 4,320

2. Relie les 25 points dans l'ordre décroissant afin de découvrir le moyen de transport utilisé par une célébrité pendant sa tournée aux États-Unis.

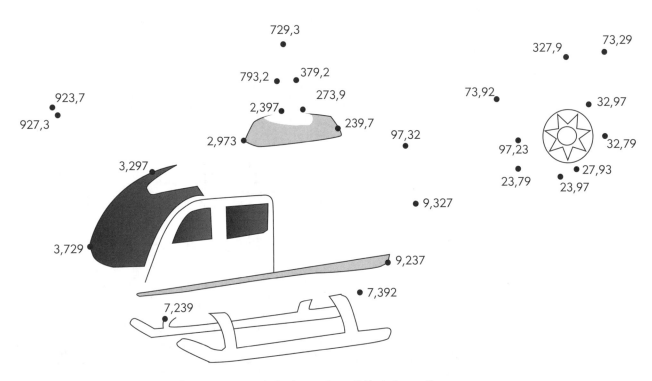

Réponse : Le moyen de transport utilisé par la célébrité est l' _____ .

Exercices

3. Complète les suites de nombres en respectant la règle.

a) Règle : – 0,08
57,32 ; 57,24 ; 57,16 ; 57,08 ; _____ ; _____ ; _____ ; _____

b) Règle : + 0,15
3,6 ; 3,75 ; 3,9 ; 4,05 ; _____ ; _____ ; _____ ; _____

c) Règle : – 0,03
71,46 ; 71,43 ; 71,4 ; 71,37 ; _____ ; _____ ; _____ ; _____

d) Règle : + 0,002
8,086 ; 8,088 ; 8,09 ; 8,092 ; _____ ; _____ ; _____ ; _____

e) Règle : + 0,1; – 0,05
19,23 ; 19,33 ; 19,28 ; 19,38 ; _____ ; _____ ; _____ ; _____

f) Règle : – 0,005; + 0,01
4,475 ; 4,47 ; 4,48; 4,475 ; _____ ; _____ ; _____ ; _____

g) Règle : + 0,3
5,06 ; 5,36 ; 5,66 ; 5,96 ; _____ ; _____ ; _____ ; _____

h) Règle : – 0,04
7,349 ; 7,309 ; 7,269 ; 7,229 ; _____ ; _____ ; _____ ; _____

i) Règle : + 0,09
7,325 ; 7,415 ; 7,505 ; 7,595 ; _____ ; _____ ; _____ ; _____

j) Règle : – 1,1
24,9 ; 23,8 ; 22,7 ; 21,6 ; _____ ; _____ ; _____ ; _____

Exercices

1. Transforme les nombres décimaux en fractions irréductibles.

a)   0,8 = _____

b)   0,72 = _____

c) 0,255 = _____

d) 0,04 = _____

e) 0,005 = _____

f)   0,42 = _____

g) 0,025 = _____

h) 0,95 = _____

2. Transforme les pourcentages et les fractions en nombres décimaux.

a)   7 % = _____

b) $\dfrac{4}{50}$ = _____

c) $\dfrac{3}{4}$ = _____

d) 30 % = _____

e)   59 % = _____

f) $\dfrac{1}{25}$ = _____

g) $\dfrac{5}{8}$ = _____

h) 78 % = _____

3. Arrondis les nombres décimaux.

	À l'unité près	Au dixième près	Au centième près
a) 25,458			
b) 4,337			
c) 89,069			
d) 7,536			
e) 16,292			
f) 3,702			
g) 55,555			
h) 44,444			

Test

4. **Place les nombres décimaux dans l'ordre décroissant.**

53,24	54,23	45,32	5,324	32,45	4,523
45,23	35,24	234,5	43,25	4,352	5,234

_____

_____

5. **Transforme les nombres décimaux en pourcentages.**

a) 0,65 = _____   b) 0,36 = _____   c)   0,7 = _____   d) 0,08 = _____

e) 0,024 = _____   f) 0,459 = _____   g) 0,002 = _____   h)   0,6 = _____

6. **Décompose les nombres décimaux.**

Exemple : 435,67 = <u>400 + 30 + 5 + 0,6 + 0,07</u>

a)   78,9 = _____

b)   36,25 = _____

c)   442,17 = _____

d)   57,863 = _____

e)   25,062 = _____

f)   3984,55 = _____

g)   46 051,8 = _____

h) 79 485,309 = _____

7. **Transforme les nombres fractionnaires en nombres décimaux.**

a) $6\frac{2}{5}$ = _____   b) $5\frac{3}{8}$ = _____   c) $3\frac{1}{4}$ = _____

d) $7\frac{7}{10}$ = _____   e) $2\frac{1}{2}$ = _____   f) $1\frac{3}{5}$ = _____

g $4\frac{3}{4}$ = _____   h) $8\frac{7}{8}$ = _____   i) $2\frac{9}{10}$ = _____

Test

1. Transforme les heures en nombres décimaux.

Exemple :   7 h 15 =   7 + 15/60 =   7 + (15 x 100 ÷ 60) =   7,25

a) 14 h 54 = _____

b)   3 h 45 = _____

c) 22 h 18 = _____

d)   8 h 30 = _____

e)   6 h 42 = _____

f)   11 h 12 = _____

g) 23 h 09 = _____

h)   2 h 51 = _____

i)   5 h 24 = _____

j) 18 h 36 = _____

2. Entoure le nombre duquel chaque nombre décimal s'approche le plus.

a)   **3,578**   3,5 ou 3,6   b)   **7,381**   7 ou 8

c)   **4,429**   4,42 ou 4,43   d)   **9,26**   9,2 ou 9,3

e)   **57,043**   50 ou 60   f) **63,273**   63,27 ou 63,28

g)   **316,55**   316 ou 317   h)   **1,146**   1,14 ou 1,15

i) **415,327**   415,3 ou 415,4   j) **78,826**   78 ou 79

k) **624,623**   624,62 ou 624,63   l)   **0,096**   0,09 ou 0,1

Exercices

3. **Pascal collectionne les bandes dessinées américaines. Pour découvrir son superhéros favori, colorie en bleu les cases qui renferment des nombres décimaux comportant un 7 à la position des millièmes, en rouge celles qui renferment des nombres décimaux comportant un 2 à la position des centièmes, et en jaune celles qui renferment des nombres décimaux comportant un 9 à la position des dixièmes.**

5,135	6,806	4,339	7,246	9,5	4,465	3,664	2,6	4,034	5,17	6,406
8,01	2,037	4,147	0,3	0,428	2,33	4,123	4,59	3,91	6,94	8,9
6,13	5,257	8,85	9,218	3,72	1,8	9,225	2,394	6,9	3,345	0,923
4,3	9,097	3,767	3,14	5,629	3,64	6,32	1,29	9,95	2,911	1,95
9,441	2,501	1,497	0,65	8,02	7,352	8,421	9,044	2,9	9,43	1,312
5,5	7,927	6,817	5,59	1,22	7,326	5,624	7,14	4,98	8,61	3,13
8,65	8,89	0,71	4,47	4,31	4,5	5,099	0,3	0,56	7,802	5,654
6,892	0,82	5,721	1,391	2,107	4,467	5,637	2,54	8,4	6,79	7,8
5,01	1,62	2,6	4,202	6,117	5,676	9,707	5,7	7,292	5,685	9,07
7,13	2,123	6,02	6,114	0,257	8,587	6,1	4,053	6,3	4,57	0,19
4,343	3,225	4,53	2,03	3,247	6,80	5,817	3,255	5,75	3,46	2,233
8,0	4,62	7,427	9,8	7,397	7,79	4,477	2,4	4,8	2,35	4,3
2,15	9,682	6,41	7,546	0,704	8,684	8,5	1,663	3,6	1,2	6,452
9,2	5,9	7,33	8,2	5,8	7,963	4,66	3,02	1,22	7,524	8,54
0,364	7,913	4,905	9,17	3,9	5,97	8,88	8,225	3,78	9,72	0,73
1,78	9,94	9,24	2,966	1,11	3,911	3,7	0,12	5,12	6,62	1,8
4,795	0,91	4,25	2,448	1,2	9,909	8,492	6,426	3,11	8,028	2,01
2,40	4,933	6,16	2,6	3,31	4,968	2,2	2,32	5,2	2,82	3,802
4,416	5,573	1,07	6,03	7,4	9,57	8,5	6,47	5,37	2,24	4,61
3,75	4,36	5,8	9,017	0,548	0,458	7,397	6,673	4,492	2,3	5,49
4,838	8,254	3,78	8,237	1,777	1,44	8,117	2,3	4,5	7,53	6,294
6,03	7,04	5,6	6,447	8,65	5,587	2,737	6,785	9,63	9,44	7,07
8,349	9,65	3,59	3,657	0,77	2,3	4,847	0,001	3,7	1,71	8,2
7,2	0,836	2,50	2,867	7,88	3,33	3,057	3,13	4,854	7,6	8,35
1,68	2,7	4,41	5,8	6,199	4,216	2,8	5,295	5,09	0,505	4,1

Réponse : Le superhéros favori de Pascal est _____.

4. **Transforme les fractions ou les nombres fractionnaires en pourcentages, puis en nombres décimaux.**

Exemple : $\dfrac{67}{50}$ = 134 % = 1,34

a) $\dfrac{9}{25}$ = _____ = _____

b) $\dfrac{7}{10}$ = _____ = _____

c) $\dfrac{3}{2}$ = _____ = _____

d) $\dfrac{7}{4}$ = _____ = _____

e) $\dfrac{3}{20}$ = _____ = _____

f) $\dfrac{4}{5}$ = _____ = _____

g) $\dfrac{19}{10}$ = _____ = _____

h) $\dfrac{63}{20}$ = _____ = _____

i) $\dfrac{39}{25}$ = _____ = _____

j) $\dfrac{25}{2}$ = _____ = _____

5. **La famille Virgule part en voyage au pays des mathématiques.**
Place les nombres décimaux suivants dans la bonne valise.

3,08	4,27	9,424	6,357
7,001	8,96	6,418	2,6
1,92	5,5	0,788	5,3
8,12	2,004	8,79	9,02
3,798	4,14	7,891	9,76

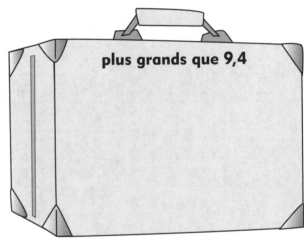

plus grands que 9,4

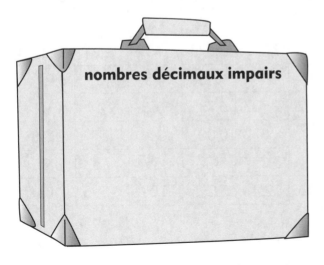

nombres décimaux impairs

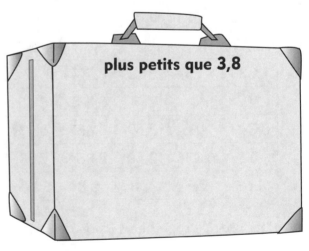

plus petits que 3,8

Exercices

1. Place les nombres entiers dans l'ordre croissant.

| -6 | 4 | -3 | 7 | 0 | -2 | -9 | -1 | 8 | -5 |
| 2 | 3 | -10 | -8 | 6 | 5 | 9 | -7 | -4 | 1 |

_____

_____

2. Complète les suites de nombres entiers.

a) 6, 3, 0, -3, -6, _____ ; _____ ; _____ ; _____

b) -12, -10, -8, -6, -4, _____ ; _____ ; _____ ; _____

c) 4, 5, 3, 4, 2, _____ ; _____ ; _____ ; _____

d) 30, 25, 20, 15, 10, _____ ; _____ ; _____ ; _____

e) -20, -17, -14, -11, -8, _____ ; _____ ; _____ ; _____

f) 6, 10, 4, 8, 2, _____ ; _____ ; _____ ; _____

3. Résous les équations, puis compare les réponses en utilisant le symbole <, > ou =.

a) $16 - 18 =$ _____ $\bigcirc$ $21 - 27 =$ _____

b) $-6 + 3 =$ _____ $\bigcirc$ $5 - 9 =$ _____

c) $17 - 25 =$ _____ $\bigcirc$ $1 - 6 =$ _____

d) $4 - 10 =$ _____ $\bigcirc$ $3 - 12 =$ _____

e) $13 - 14 =$ _____ $\bigcirc$ $7 - 8 =$ _____

f) $3 + 4 - 11 =$ _____ $\bigcirc$ $3 - 2 - 4 =$ _____

g) $0 - 7 + 3 =$ _____ $\bigcirc$ $5 - 1 + 6 =$ _____

h) $5 - 20 + 10 =$ _____ $\bigcirc$ $4 + 3 - 12 =$ _____

Test

1. Place les nombres entiers sur la droite numérique.

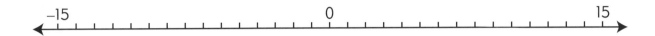

-3 7 -12 -9 10 5 8 -4 2 -5 -1 6

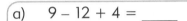

2. Illustre chaque équation sur la droite numérique afin de trouver la réponse.

Exemple : $4 - 10 + 3 = -3$

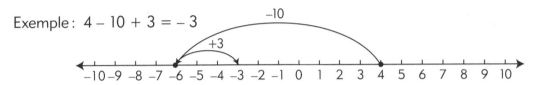

a) $9 - 12 + 4 = \_\_\_\_$

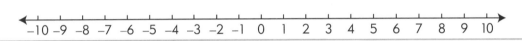

b) $2 - 9 + 5 = \_\_\_\_$

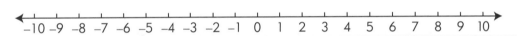

c) $-8 + 3 - 4 = \_\_\_\_$

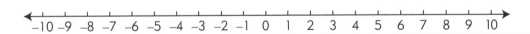

d) $-4 + 10 - 6 = \_\_\_\_$

e) $0 - 5 + 11 = \_\_\_\_$

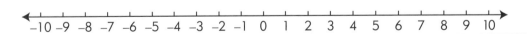

f) $2 + 6 - 15 = \_\_\_\_$

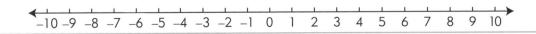

Exercices

3. Pour chaque nombre entier négatif, trouve 4 équations dont la réponse est égale à ce nombre.

a) – 7 : _____   _____

_____   _____

b) – 4 : _____   _____

_____   _____

c) – 10 : _____   _____

_____   _____

d) – 3 : _____   _____

_____   _____

e) – 12 : _____   _____

_____   _____

4. Complète le tableau ci-dessous en soustrayant les nombres de la rangée du haut des nombres de la colonne de gauche.

	5	2	8	14	22	25	31	47
6	1				– 16			
4								
11			3					
16								
19	14				– 3			
3								
27								
10							– 21	

Exercices

1. Résous chaque équation.

a) 7 – 12 = _____

b) 4 – 18 = _____

c) – 3 + 7 = _____

d) – 2 – 6 = _____

e) – 8 + 2 = _____

f) 7 + 2 – 10 = _____

g) – 4 + 5 – 6 = _____

h) 18 – 15 – 7 = _____

i) 6 – 9 + 9 = _____

2. Relie les points dans l'ordre croissant afin de découvrir l'animal de compagnie de Francis.

Réponse : L'animal de compagnie de Francis est un _____.

Test

1. Illustre chaque équation sur la droite numérique afin de trouver la réponse.

a) 18 + 2 − 10 − 10 = _____

b) − 5 − 13 + 9 − 2 = _____

c) 0 − 6 + 4 − 15 = _____

d) 12 − 8 + 2 − 18 = _____

e) 14 − 7 + 3 − 11 = _____

f) − 7 − 10 + 16 − 6 = _____

2. Indique la position de chaque lettre sur la droite numérique en inscrivant le nombre entier approprié.

A : _____   B : _____   C : _____   D : _____

E : _____   F : _____   G : _____   H : _____

Exercices

1. Une chanteuse très célèbre lance simultanément deux nouveaux albums : l'un en français et l'autre en anglais. Après une semaine, les ventes du premier s'élèvent à 36 549 exemplaires et celles du deuxième s'élèvent à 267 180. Combien d'albums a-t-elle vendus après une semaine ?

   Démarche :

   Réponse : Elle a vendu _____ albums après une semaine.

2. Sur le continent européen, on compte environ 724 722 habitants. Sur le continent nord-américain, on en compte 332 156. Combien de personnes devraient immigrer en Amérique du Nord pour que sa population soit égale à celle de l'Europe ?

   Démarche :

   Réponse : _____ personnes devraient immigrer en Amérique du Nord.

3. Notre système solaire est composé de planètes, d'astéroïdes, de comètes et d'autres corps célestes qui gravitent tous autour du Soleil. La planète Mars possède deux satellites : Phobos et Deimos. Le premier a un diamètre de 22 km, et le second a un diamètre de 12 km. Quel est le diamètre de la planète Mars si elle est 309 fois plus grosse que son satellite Phobos ?

   Démarche :

   Réponse : Le diamètre de la planète Mars est de _____ km.

4. La distance entre la ville de Moscou, en Russie, et la ville de Canberra, en Australie, est de 14 475 km. Quelle est la distance entre la ville d'Amsterdam, aux Pays-Bas, et la ville de Berlin, en Allemagne, si elle est 25 fois plus courte que celle entre les deux villes précédentes ?

   Démarche :

   Réponse : La distance entre Amsterdam et Berlin est de _____ km.

Test

5. **Une station de télévision proposait pour la rentrée 3 nouveaux téléromans. Après 4 mois de diffusion, *Le temps d'une vie* attirait en moyenne 536 945 téléspectateurs par épisode; *Les racontars d'Oscar* attirait 258 626 téléspectateurs de moins que *Le temps d'une vie*, et *La voix du silence* attirait 2 fois plus de téléspectateurs que *Les racontars d'Oscar*. Combien de téléspectateurs regardaient en moyenne chaque épisode de *Les racontars d'Oscar* et de *La voix du silence* ?**

   Démarche :

   Réponse : _____ téléspectateurs regardaient *Les racontars d'Oscar*.

   _____ téléspectateurs regardaient *La voix du silence*.

6. **Béatrice place sur le plateau droit d'une balance un poids de 63 g et un second de 34 g. Sur le plateau gauche, elle dépose un poids de 24 g, un deuxième de 33 g et un troisième de 52 g. De quel côté la balance penche-t-elle ? Justifie ta réponse.**

   Démarche :

   Réponse : La balance penche du côté _____ puisque le poids total y est de

   _____ g, comparativement à _____ g pour l'autre côté.

7. **Observe le tableau des valeurs nutritives de différents aliments, puis calcule le nombre de calories absorbées par chaque personne.**

Aliments	Calories
yogourt	180,5
pain blanc	378
concombre	12,75
avocat	207,8
thon	281
limonade	48,06

   a) Xavier a mangé 2 concombres, 1 portion de thon et 1 yogourt, puis il a bu 1 verre de limonade.

   Réponse : _____ calories

   b) Zoé a mangé 3 portions de pain blanc, 1 avocat et 2 yogourts.

   Réponse : _____ calories

   c) Marc-André a mangé 2 portions de thon et 1 concombre, puis il a bu 2 verres de limonade.

   Réponse : _____ calories

Test

1. **Résous les équations en respectant les parenthèses.**

Exemple : $(35 + 25) \div (3 \times 4) =$ $60 \div 12 =$ 5

a) $(73 - 68) \times (21 \div 3) =$ _____

b) $(9 \times 8) + (4 \times 7) =$ _____

c) $(200 \div 5) - (24 \div 8) =$ _____

d) $(346 + 182) \div (54 \div 9) =$ _____

e) $(81 \div 9) + (6 \times 6) - 17 =$ _____

2. **Résous les équations en tenant compte de la priorité des opérations.**

Exemple : $4 + 5 \times 3 - 6 =$ $4 + (5 \times 3) - 6 =$ $4 + 15 - 6 = 13$

a) $45 \div 3 - 2 \times 4 =$ _____

b) $16 + 28 \div 4 - 5 =$ _____

c) $20 \times 9 \div 6 + 3 \times 3 - 7 =$ _____

d) $35 + 25 \div 5 + 10 \times 2 =$ _____

e) $57 - 38 + 8 - 5 \times 3 =$ _____

3. **Résous les équations en appliquant la distributivité.**

Exemple : $3 \times (7 + 9) =$ $(3 \times 7) + (3 \times 9) =$ $21 + 27 =$ 48

a) $4 \times (8 - 6) =$ _____

b) $7 \times (5 + 9) =$ _____

c) $6 \times (26 - 13) =$ _____

d) $8 \times (37 + 24) =$ _____

e) $5 \times (7 + 8 - 4) =$ _____

Exercices

4. Entoure les nombres qui sont divisibles par 5, souligne les nombres qui sont divisibles par 3 et fais un X sur les nombres divisibles par 4.

8	10	12	14	15	16	18	20
21	22	24	25	26	27	28	30
32	33	34	35	36	38	39	40
42	44	45	46	48	49	50	51
52	54	55	56	57	58	60	62
63	64	65	66	68	69	70	72
74	75	76	77	78	80	81	82
84	85	86	87	88	90	92	93

5. Place les nombres de 0 à 18 dans la ruche afin d'obtenir pour chaque ligne et chaque périphérie la somme de 57. Attention ! Tu dois utiliser chaque nombre une seule fois.

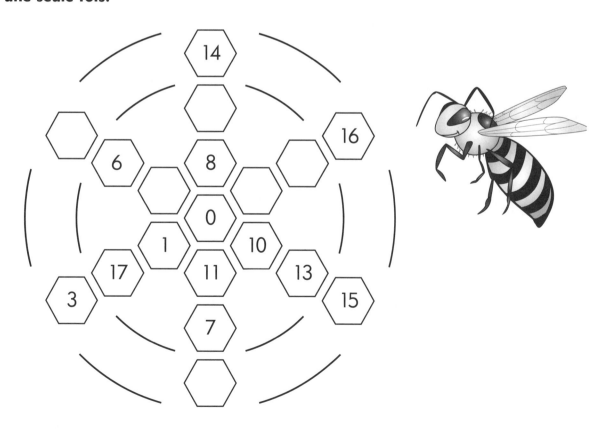

6. Additionne et soustrais en laissant des traces de tes calculs.

a) 5687 + 2385   b) 6904 − 3271   c) 3947 + 2684

d) 7502 − 1863   e) 4924 − 2372   f) 82 653 + 9476

g) 8865 + 1234   h) 478 032 − 59 151   i) 27 084 + 9853

j) 752 967 − 243 770   k) 700 000 − 3294   l) 332 594 + 56 877

7. Multiplie et divise en laissant des traces de tes calculs.

a) 38 x 25   b) 390 ⌞5   c) 293 x 68   d) 1368 ⌞24

e) 621 ⌞27   f) 706 x 41   g) 877 x 53   h) 2832 ⌞48

i) 555 x 79   j) 5568 ⌞87   k) 2886 ⌞74   l) 900 x 44

Exercices

8. Décompose les nombres en arbres de facteurs, puis donne ta réponse sous forme exponentielle.

Exemple :

Réponse : $2^1 \times 5^3$

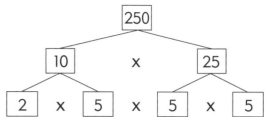

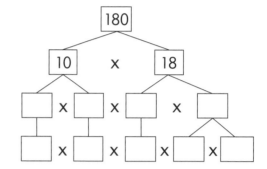

a)

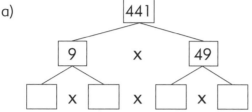

Réponse : _____

b)

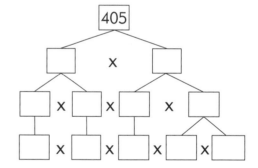

Réponse : _____

c)

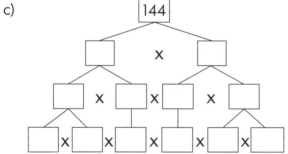

Réponse : _____

d)

Réponse : _____

e)

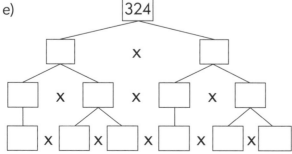

Réponse : _____

f)

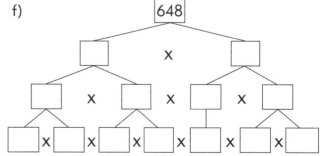

Réponse : _____

Exercices

9. Résous chaque équation en laissant des traces de tes calculs.

a) $6^2 + 2^4 =$

b) $3^4 - 4^3 =$

c) $2^3 \times 3^2 \times 5^2 =$

d) $4^4 \div 2^3 =$

e) $7^3 + 5^3 + 2^5 =$

f) $3^2 \times (3^2 + 2^3) =$

g) $(6^3 \times 3^1) - (5^2 \times 4^2) =$

h) $(5^3 + 7^3) \div 3^2 =$

i) $(2^3 \times 3^2 \times 4^3) - (5^2 \times 7^2) =$

j) $15^3 + 21^2 =$

k) $(34^2 \div 2^2) \times (5^3 - 4^3) =$

l) $7^5 \times 10^0 - 3^4 =$

Exercices

1. **Dans une manufacture où l'on confectionne des manteaux, des ouvrières cousent 6 boutons sur chaque imperméable et 5 boutons sur chaque parka. Si la production quotidienne est de 485 imperméables et de 270 parkas, combien de boutons devront coudre les ouvrières en une semaine de travail de 5 jours?**

   Démarche :

   Réponse : Les ouvrières devront coudre _____ boutons sur les manteaux.

2. **Le troupeau de vaches d'un producteur laitier produit 58 560 décalitres de lait par année. Combien de barriques remplit-il sur une période de 10 ans si chacune des barriques peut contenir 20 décalitres de lait?**

   Démarche :

   Réponse : Il peut remplir _____ barriques de lait sur une période de 10 ans.

3. **Dans le monde, sur 232 pays, seulement 75 ont une population inférieure à 1 000 000 d'habitants. Le Liechtenstein compte 35 265 habitants. Le Qatar compte 850 094 habitants de plus que le Liechtenstein. L'Islande compte 585 971 habitants de moins que le Qatar. Quelles sont les populations respectives du Qatar et de l'Islande?**

   Démarche :

   Réponse : La population du Qatar est de _____ habitants.
   La population de l'Islande est de _____ habitants.

4. **Au Canada, chaque province a sa capitale. Edmonton, capitale de l'Alberta, compte 938 000 habitants. Trouve la population de Charlottetown, capitale de l'Île-du-Prince-Édouard, en sachant qu'elle compte 16 fois moins d'habitants que son homologue albertain.**

   Démarche :

   Réponse : La population de Charlottetown est de _____ habitants.

Test

5. Remplis le tableau à partir des indices, et ce, en laissant des traces de tes calculs dans l'espace mis à ta disposition.

– La superficie de la Slovénie est 2 fois moins importante que celle de la Suisse.

– La superficie de l'Allemagne compte 120 750 km^2 de plus que celle de l'Ouganda.

– La superficie de la Tanzanie est d'environ 945 000 km^2.

– La superficie de la Suisse compte 27 000 km^2 de plus que celle des Bahamas.

– La superficie de l'Irlande compte 287 000 km^2 de moins que celle de l'Allemagne.

– La superficie du Népal est 2 fois plus importante que celle de l'Irlande.

– La superficie des Bahamas est 10 fois moins importante que celle du Népal.

– La superficie de l'Ouganda est 4 fois moins importante que celle de la Tanzanie.

– La superficie de la Thaïlande est 25 fois plus importante que celle de la Slovénie.

– La superficie de la Pologne compte 199 800 km^2 de moins que celle de la Thaïlande.

Ville	Superficie[1] en km^2
Allemagne	
Bahamas	
Irlande	
Népal	
Ouganda	

Ville	Superficie[1] en km^2
Pologne	
Slovénie	
Suisse	
Tanzanie	
Thaïlande	

Les superficies indiquées sont approximatives.

Calculs

Test

1. Trouve les termes manquants.

a)
$$
\begin{array}{r}
69\square5 \\
\times\quad 3\square \\
\hline
\square36\,130
\end{array}
$$

b)
$$
\begin{array}{r}
8\square44 \\
\div\quad 4 \\
\hline
22\square6
\end{array}
$$

c)
$$
\begin{array}{r}
\square783 \\
\times\quad \square1 \\
\hline
197\,59\square
\end{array}
$$

d)
$$
\begin{array}{r}
16\square2 \\
\div\quad \square6 \\
\hline
47
\end{array}
$$

e)
$$
\begin{array}{r}
4\square\square0 \\
\times\quad 56 \\
\hline
254\,800
\end{array}
$$

f)
$$
\begin{array}{r}
\square646 \\
\div\quad 98 \\
\hline
2\square
\end{array}
$$

g)
$$
\begin{array}{r}
\square77\square \\
\times\quad 48 \\
\hline
37\square\,296
\end{array}
$$

h)
$$
\begin{array}{r}
2\square38 \\
\div\quad 53 \\
\hline
4\square
\end{array}
$$

2. Additionne et soustrais en laissant des traces de tes calculs.

a)
$$
\begin{array}{r}
6\,794 \\
+\quad 245 \\
\hline
\end{array}
$$

b)
$$
\begin{array}{r}
237\,540 \\
-\quad 89\,377 \\
\hline
\end{array}
$$

c)
$$
\begin{array}{r}
51\,294 \\
+\quad 67\,428 \\
\hline
\end{array}
$$

d)
$$
\begin{array}{r}
82\,743 \\
-\quad 19\,488 \\
\hline
\end{array}
$$

e)
$$
\begin{array}{r}
572\,118 \\
+\quad 4\,987 \\
\hline
\end{array}
$$

f)
$$
\begin{array}{r}
4\,508 \\
-\quad 769 \\
\hline
\end{array}
$$

g)
$$
\begin{array}{r}
23\,106 \\
+\quad 6\,060 \\
\hline
\end{array}
$$

h)
$$
\begin{array}{r}
73\,000 \\
-\quad 5\,476 \\
\hline
\end{array}
$$

i)
$$
\begin{array}{r}
32\,178 \\
+\quad 87\,345 \\
\hline
\end{array}
$$

j)
$$
\begin{array}{r}
50\,505 \\
-\quad 4\,040 \\
\hline
\end{array}
$$

k)
$$
\begin{array}{r}
379\,241 \\
+\quad 129\,456 \\
\hline
\end{array}
$$

l)
$$
\begin{array}{r}
870\,124 \\
-\quad 798\,286 \\
\hline
\end{array}
$$

Exercices

3. **Résous chaque équation le plus rapidement possible, et ce, une colonne à la fois. Demande à un copain ou à un adulte de te chronométrer, et inscris ton temps.**

Colonne 1	Colonne 2	Colonne 3
a) $7 \times 10 =$ _____	a) $6 \times 100 =$ _____	a) $8 \times 1000 =$ _____
b) $29 \times 10 =$ _____	b) $33 \times 1000 =$ _____	b) $45 \times 100 =$ _____
c) $43 \times 100 =$ _____	c) $897 \times 10 =$ _____	c) $92 \times 10 =$ _____
d) $246 \times 10 =$ _____	d) $458 \times 1000 =$ _____	d) $380 \times 100 =$ _____
e) $651 \times 100 =$ _____	e) $52 \times 100 =$ _____	e) $73 \times 1000 =$ _____
f) $9 \times 1000 =$ _____	f) $60 \times 1000 =$ _____	f) $56 \times 100 =$ _____
g) $345 \times 10 =$ _____	g) $404 \times 100 =$ _____	g) $30 \times 1000 =$ _____
h) $60 \times 100 =$ _____	h) $500 \times 100 =$ _____	h) $400 \times 10 =$ _____
i) $4570 \times 10 =$ _____	i) $643 \times 10 =$ _____	i) $79 \times 100 =$ _____
j) $805 \times 100 =$ _____	j) $220 \times 1000 =$ _____	j) $9090 \times 10 =$ _____

Temps obtenu : _____

4. **Résous chaque équation en laissant des traces de tes calculs.**

a) $27 \times 5 \times 39 =$ _____

b) $31\ 680 \div 80 \div 9 =$ _____

c) $49 \times 26 \times 8 =$ _____

d) $9876 \div 4 \div 3 =$ _____

e) $893 \times 33 \times 7 =$ _____

f) $28\ 560 \div 30 \div 14 =$ _____

Exercices

5. Résous chaque équation en la décomposant. Tu peux utiliser l'espace mis à ta disposition pour faire tes calculs.

Exemple : $2^5 + 3^2 =$ $(2 \times 2 \times 2 \times 2 \times 2) + (3 \times 3) =$ $32 + 9 =$ 41

a) $5^2 + 4^2 =$ _____

b) $2^3 + 6^2 =$ _____

c) $3^3 + 4^3 =$ _____

d) $7^2 + 2^4 =$ _____

e) $9^2 - 4^3 =$ _____

f) $8^2 - 2^3 =$ _____

g) $5^2 - 2^4 =$ _____

h) $7^2 - 3^3 =$ _____

i) $4^4 + 2^6 - 3^4 =$ _____

j) $5^3 - 4^2 - 8^2 =$ _____

k) $2^5 + 3^4 + 5^0 =$ _____

l) $4^3 - 2^4 + 9^1 =$ _____

Calculs

6. Multiplie et divise en laissant des traces de tes calculs.

a)　　　470　　　b)　$984 \lfloor 6$　　c)　　　673　　　d)　$2674 \lfloor 14$
　　　$\times\ \underline{\ 56}$　　　　　　　　　　　　　　$\times\ \underline{\ 70}$

e)　　　824　　　f)　$5975 \lfloor 25$　　g)　　　196　　　h)　$8256 \lfloor 43$
　　　$\times\ \underline{\ 35}$　　　　　　　　　　　　　　$\times\ \underline{\ 48}$

7. Résous chaque équation en la décomposant. Tu peux utiliser l'espace mis à ta disposition pour faire tes calculs.

Exemple : $4^4 \times 2^2 =$ 　$(4 \times 4 \times 4 \times 4) \times (2 \times 2) =$ 　$256 \times 4 =$ 　1024

a)　$5^4 \div 5^1 =$ _____

b)　$3^3 \times 4^2 =$ _____

c)　$4^4 \div 2^3 =$ _____

d)　$6^2 \times 8^1 =$ _____

e)　$9^3 \div 3^2 =$ _____

f)　$7^0 \times 8^3 =$ _____

g)　$8^2 \div 4^2 =$ _____

h)　$2^3 \times 2^3 =$ _____

i)　$10^2 \div 5^2 =$ _____

Calculs

Exercices

1. **Trois mouffettes se promènent à la queue leu leu dans un sentier forestier. Si la première mesure 54,95 cm, que la deuxième mesure 48,16 cm et que la troisième mesure 63,7 cm, sur combien de centimètres s'étire le cortège ?**

   Démarche :

   Réponse : Le cortège de mouffettes s'étire sur _____ cm.

2. **Laurent a 295,58 $ dans ses poches. Malgré tout, il souhaite acquérir le magnifique vélo exposé dans la vitrine du magasin. Son prix total est de 382,75 $ (taxes comprises), mais le fabricant offre un rabais postal de 75 $. Est-ce que Laurent a assez d'argent pour acheter le vélo ? Si oui, combien d'argent lui restera-t-il ? Sinon, combien d'argent devra-t-il emprunter à ses parents ?**

   Démarche :

   Réponse : Fais un crochet au bon endroit, puis inscris le bon montant.
   ☐ Il a assez d'argent pour acheter le vélo et il lui restera _____ $.
   ☐ Il n'a pas assez d'argent pour acheter le vélo et il devra emprunter _____ $.

3. **Un mécanicien réclame 12,95 $ à ses clients pour réparer une crevaison. Combien en coûtera-t-il au père d'Aurélie s'il doit faire réparer 3 pneus crevés ?**

   Démarche :

   Réponse : Il en coûtera _____ $ au père d'Aurélie.

4. **Des alpinistes escaladent une falaise mesurant 63,48 m de haut. S'ils décident de prendre une pause au 1/3 de la montée, à quelle distance seront-ils du sol ?**

   Démarche :

   Réponse : Les alpinistes seront à _____ m du sol.

Test

5. Lorsqu'elle est pourchassée, l'antilope peut se déplacer à une vitesse de 90 km/h. À cette vitesse, quelle distance peut-elle franchir en 5 minutes?

Démarche:

Réponse: L'antilope peut franchir une distance de _____ km en 5 minutes.

6. La tortue est reconnue pour sa lenteur. Elle se déplace généralement à une vitesse de 0,2 km/h. Quelle distance peut franchir une tortue en 3 jours à raison de 8 heures de déplacement par jour?

Démarche:

Réponse: La tortue peut franchir une distance de _____ km en 3 jours.

7. Trois copines décident d'assister à la projection d'un film au ciné-parc. Aussi, malgré qu'elles aient acquis de bonnes habitudes alimentaires, elles se procurent des friandises au kiosque: réglisse, maïs soufflé et boisson gazeuse. Combien devra débourser chacune d'entre elles si le total pour l'entrée et les friandises s'élève à 41,85 $?

Démarche:

Réponse: Chacune devra débourser _____ $.

8. La tour Eiffel, qui a été construite au cœur de la ville de Paris, en France, à l'occasion de l'Exposition universelle de 1889, mesure 325 m de hauteur. Colin, un grand amateur d'architecture, décide de fabriquer dans son jardin une réplique à l'échelle 1/8 de la célèbre tour. Combien mesurera la tour de Colin?

Démarche:

Réponse: La tour de Colin mesurera _____ m.

Test

1. Additionne les nombres décimaux.

a)
```
  456,87
+  23,39
```

b)
```
  504,36
+  49,821
```

c)
```
     62,4
+ 724,905
```

d)
```
  96,25
  34,7
+ 8,439
```

e)
```
    3,356
   97,45
+ 238,664
```

f)
```
    574
+ 25,48
```

2. Soustrais les nombres décimaux.

a)
```
  235,78
- 129,86
```

b)
```
  670,4
- 37,65
```

c)
```
  709,378
- 699,19
```

d)
```
  48,54
- 32,973
```

e)
```
  985,7
- 4,336
```

f)
```
  39,065
-   9,7
```

3. Multiplie les nombres décimaux.

a)
```
  57,3
× 7,4
```

b)
```
  8,48
× 2,3
```

c)
```
  9,29
× 5,6
```

d)
```
  68,25
×  4,2
```

e)
```
  105,7
×  9,1
```

f)
```
  230,06
×  3,35
```

4. Divise les nombres décimaux.

a) 98,1 $\lfloor$ 3

b) 43,56 $\lfloor$ 2

c) 642,95 $\lfloor$ 5

d) 1715,63 $\lfloor$ 7

e) 568,35 $\lfloor$ 9

f) 588,42 $\lfloor$ 6

Exercices

5. Résous chaque équation le plus rapidement possible, et ce, une colonne à la fois. Demande à un copain ou à un adulte de te chronométrer, et inscris ton temps.

Colonne 1	Colonne 2	Colonne 3
a) $3,3 \times 10 =$ _____	a) $0,7 \times 100 =$ _____	a) $8,24 \times 1000 =$ _____
b) $2,034 \times 100 =$ _____	b) $5,24 \times 10 =$ _____	b) $67,987 \times 10 =$ _____
c) $1,5 \times 1000 =$ _____	c) $8,3 \times 1000 =$ _____	c) $540,06 \times 10 =$ _____
d) $9,26 \times 10 =$ _____	d) $0,421 \times 100 =$ _____	d) $0,419 \times 100 =$ _____
e) $4,365 \times 100 =$ _____	e) $2,99 \times 10 =$ _____	e) $12,12 \times 10 =$ _____
f) $0,673 \times 1000 =$ _____	f) $3,8 \times 100 =$ _____	f) $7,467 \times 10 =$ _____
g) $7,04 \times 10 =$ _____	g) $8,03 \times 10 =$ _____	g) $6,2 \times 1000 =$ _____
Temps : _____	Temps : _____	Temps : _____

6. Résous chaque équation le plus rapidement possible, et ce, une colonne à la fois. Demande à un copain ou à un adulte de te chronométrer, et inscris ton temps.

Colonne 1	Colonne 2	Colonne 3
a) $47,5 \div 10 =$ _____	a) $895 \div 100 =$ _____	a) $936 \div 1000 =$ _____
b) $3,9 \div 100 =$ _____	b) $78,7 \div 10 =$ _____	b) $2345 \div 100 =$ _____
c) $18 \div 1000 =$ _____	c) $568 \div 100 =$ _____	c) $40 \div 1000 =$ _____
d) $23,7 \div 100 =$ _____	d) $6 \div 10 =$ _____	d) $8 \div 100 =$ _____
e) $895,13 \div 10 =$ _____	e) $67,3 \div 100 =$ _____	e) $75 \div 10 =$ _____
f) $643 \div 1000 =$ _____	f) $124 \div 1000 =$ _____	f) $444 \div 100 =$ _____
g) $10 \div 100 =$ _____	g) $30 \div 100 =$ _____	h) $50 \div 1000 =$ _____
Temps : _____	Temps : _____	Temps : _____

Exercices

7. Complète le tableau ci-dessous.

	+ 0,04	+ 0,6	+ 0,007	− 0,5	− 0,003	− 0,01
6,5						
7,69						
4,378						
8,005						
5,204						
3,09						
16						
2,993						

À partir des résultats obtenus dans le tableau, dresse la liste des nombres qui ont…

a) un 3 à la position des millièmes.

_____

b) un 2 à la position des dixièmes.

_____

c) un 0 à la position des centièmes.

_____

Exercices

1. **En croisière sur un paquebot dans les Caraïbes, les 6 membres de la famille Lamer se retrouvent autour d'une même table dans le restaurant chic. Le père et la mère commandent chacun une entrée de langoustines au prix unitaire de 12,90 $, et leurs enfants chacun une entrée de légumes gratinés au prix unitaire de 8,75 $. La mère et ses 2 fils demandent ensuite chacun un plat de saumon au prix unitaire de 22,50 $. Quant à eux, le père et ses 2 filles optent chacun pour des pâtes sauce rosée à 15,35 $ par personne. Enfin, tous succombent au dessert : une crème brûlée à 6,40 $ l'unité. À combien s'élèvera la facture de la famille Lamer ?**

   Démarche :

   Réponse : La facture de la famille Lamer s'élèvera à _____ $.

2. **Le périmètre de l'enclos des chèvres de monsieur Séguin mesure 56,84 m. Si l'enclos est de forme carrée et que, par conséquent, ses côtés sont tous égaux, quelle est la longueur d'un seul côté ?**

   Démarche :

   Réponse : La longueur d'un côté de l'enclos est de _____ m.

3. **Pendant leur migration vers le sud, les oiseaux migrateurs doivent parcourir de grandes distances au vol. Ainsi, pour se rendre à son lieu d'hivernage, le grand héron peut franchir plus de 397,36 km par jour (il peut voler jour et nuit). Après 2 semaines de vol, quelle distance le grand héron aura-t-il parcourue ?**

   Démarche :

   Réponse : Il aura parcouru une distance de _____ km après 2 semaines.

Test

4. **Le père de Marilyn et de Maximilien a aménagé une glissade de glace sur la colline qui est située derrière la maison familiale. La pente peu dénivelée mesure environ 125 m de long, mais la glissade se poursuit jusqu'à la porte arrière de la maison. Sans toboggan ni poussée, Marilyn peut franchir l'équivalent de 0,65 de la pente. Pour sa part, à bord d'une luge et propulsé par les bras de son père, Maximilien peut franchir 1,9 de la pente. Combien de mètres ont franchis respectivement Marilyn et Maximilien ?**

Démarche :

Réponse : Marilyn a franchi une distance de _____ m.

Maximilien a franchi une distance de _____ m.

5. **Hélène se rend au centre commercial. Dans sa boutique préférée, elle déniche 2 pantalons à 54,40 $ chacun, un chandail à 36,90 $ ainsi qu'une ceinture à 48,50 $. Sachant que les taxes équivalent à 15 % du montant des achats, quel sera le prix total que devra payer Hélène avec sa carte de crédit ?**

Démarche :

Réponse : Hélène devra payer _____ $ avec sa carte de crédit.

6. **La piscine de la famille Poisson mesure 16,72 m de longueur sur 11,34 m de largeur. Hugo effectue 24 longueurs à la nage. Son copain Nathan effectue pour sa part 35 largeurs. Qui aura parcouru la plus grande distance à la nage ? Justifie ta réponse.**

Démarche :

Réponse : _____ aura parcouru la plus longue distance à la nage, soit _____ m.

Son copain _____ aura parcouru seulement _____ m.

1. Trouve les termes manquants.

a)
```
    27,□9
  − 1□,56
  ───────
    12,83
```

b)
```
    6□,3
  ×    □
  ──────
   273,2
```

c)
```
   3□,8□
  ÷     4
  ──────
    9,22
```

d)
```
   92,□75
  + □,349
  ───────
   98,424
```

e)
```
   41,6□7
  − 28,□25
  ────────
   13,182
```

f)
```
   □,65□
  ×    8
  ──────
  61,□24
```

g)
```
   □3,27
  ÷    □
  ──────
   31,09
```

h)
```
   1□,48□
  +  9,528
  ────────
   25,□10
```

2. Additionne et soustrais en laissant des traces de tes calculs.

a)
```
    56,29
 + 230,88
```

b)
```
   89,06
 − 4,731
```

c)
```
   427,51
 + 78,994
```

d)
```
    37,3
 − 12,55
```

e)
```
  640,001
 +  75,9
```

f)
```
  500,00
 − 239,73
```

g)
```
   126,68
 + 359,70
```

h)
```
  333,333
 − 59,428
```

i)
```
   684,3
 + 247,98
```

j)
```
  10 000
 −  999,9
```

k)
```
  732,58
 +  96,6
```

l)
```
   25,25
 − 0,784
```

Exercices

3. Remplis le tableau ci-dessous.

	× 4	× 7	× 2	× 3,5	× 6,9	× 1,8
84						
56						
9,7						
4,6						
1,2						
5,05						
32,8						
2,44						

À partir des résultats obtenus dans le tableau, dresse la liste des nombres qui ont…

a) un 5 à la position des millièmes.

_____

b) un 7 à la position des dixièmes.

_____

c) un 2 à la position des centièmes.

_____

Exercices

4. Observe le prix des articles vendus au supermarché. Trouve ensuite le total de la facture de chacun des paniers d'épicerie en laissant des traces de tes calculs.

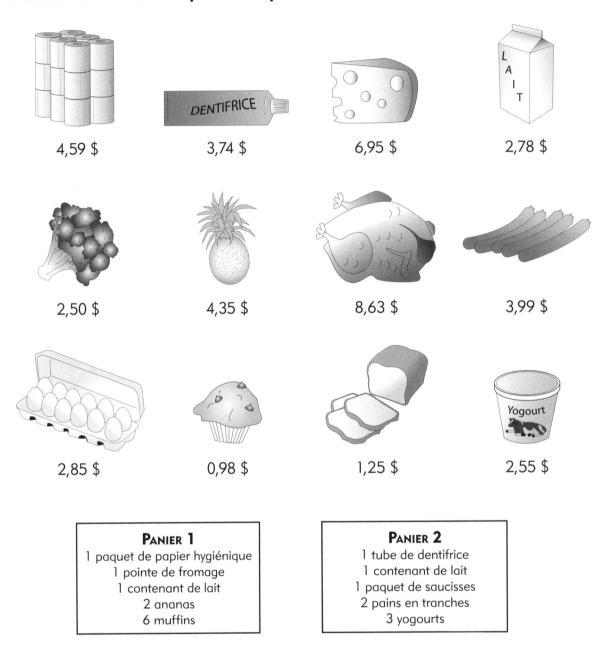

4,59 $	3,74 $	6,95 $	2,78 $
2,50 $	4,35 $	8,63 $	3,99 $
2,85 $	0,98 $	1,25 $	2,55 $

PANIER 1
1 paquet de papier hygiénique
1 pointe de fromage
1 contenant de lait
2 ananas
6 muffins

PANIER 2
1 tube de dentifrice
1 contenant de lait
1 paquet de saucisses
2 pains en tranches
3 yogourts

PANIER 3
3 ananas
8 muffins

PANIER 4
5 brocolis
2 muffins
2 paquets de papier hygiénique
2 poulets

Exercices

1. **Le roi Dagobert est réputé pour mettre ses vêtements du mauvais côté. Découvre la parure qu'il a mise à l'envers en traçant 15 points au× coordonnées suivantes et en les reliant dans l'ordre par un trait.**

(5,15) (8,9) (6,10) (6,7) (4,9) (3,5) (2,9) (0,3) (− 2,9) (− 3,5) (− 4,9) (− 6,7) (− 6, 10) (− 8,9) (− 5,15)

Complète l'illustration en reliant les coordonnées (5,15) et (-5,15).

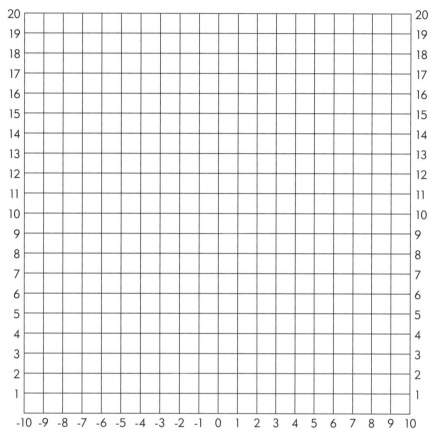

Réponse : Le roi Dagobert a mis sa _____ à l'envers.

2. **Des oiseau× sont posés sur une branche. Découvre leur position sur l'a×e à l'aide des indices suivants.**

- La grive n'est pas juchée à côté du chardonneret.
- Le geai bleu est juché entre le merle et le goglu.
- Le merle est juché e×actement au centre.
- Le chardonneret est juché juste à gauche du goglu.
- Le cardinal est juché juste à droite du merle.
- La fauvette n'est pas juchée à côté de l'hirondelle.
- Le moineau est juché entre le cardinal et l'hirondelle.

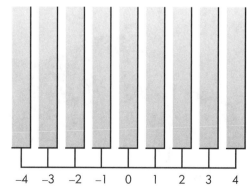

Test

1. Trouve les coordonnées des points qui ont servi à dessiner ce blouson de cuir.

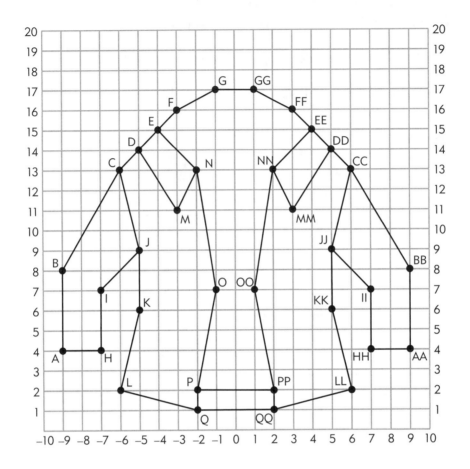

A : (___ , ___)   B : (___ , ___)   C : (___ , ___)   D : (___ , ___)

E : (___ , ___)   F : (___ , ___)   G : (___ , ___)   H : (___ , ___)

I : (___ , ___)   J : (___ , ___)   K : (___ , ___)   L : (___ , ___)

M : (___ , ___)   N : (___ , ___)   O : (___ , ___)   P : (___ , ___)

Q : (___ , ___)   AA : (___ , ___)   BB : (___ , ___)   CC : (___ , ___)

DD : (___ , ___)   EE : (___ , ___)   FF : (___ , ___)   GG : (___ , ___)

                                     HH : (___ , ___)   II : (___ , ___)

                                       JJ : (___ , ___)   KK : (___ , ___)

                                       LL : (___ , ___)   MM : (___ , ___)

                                       NN : (___ , ___)   OO : (___ , ___)

                                       PP : (___ , ___)   QQ : (___ , ___)

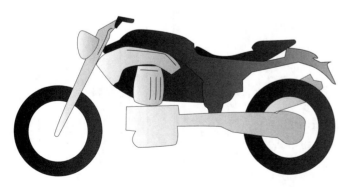

Exercices

2. Reproduis la figure du quadrant 1 dans les quadrants 2, 3 et 4 par réfle×ion, puis indique les nouvelles coordonnées de chaque reproduction.

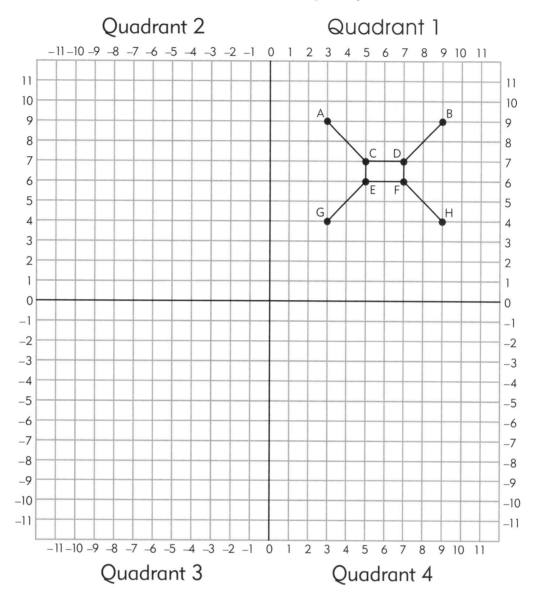

Coordonnées de la figure du quadrant 2 :

A : (___ , ___) B : (___ , ___)   C : (___ , ___)   D : (___ , ___)

E : (___ , ___) F : (___ , ___)   G : (___ , ___)   H : (___ , ___)

Coordonnées de la figure du quadrant 3 :

A : (___ , ___) B : (___ , ___)   C : (___ , ___)   D : (___ , ___)

E : (___ , ___) F : (___ , ___)   G : (___ , ___)   H : (___ , ___)

Coordonnées de la figure du quadrant 4 :

A : (___ , ___) B : (___ , ___)   C : (___ , ___)   D : (___ , ___)

E : (___ , ___) F : (___ , ___)   G : (___ , ___)   H : (___ , ___)

Exercices

1. **Joëlle a soigné un animal blessé qu'elle a recueilli dans le parc du quartier.**
   Découvre l'animal dont elle a pris soin en traçant 42 points aux coordonnées
   suivantes et en les reliant dans l'ordre par un trait.

   (0,4) (2,5) (3,5) (5,7) (5,5) (7,7) (7,5) (6,4) (7,1) (5,0) (3,2) (2,0) (3,– 2) (5,– 3) (4,– 4) (2,– 3)
   (1,– 2) (0,– 4) (– 2,– 6) (0,– 6) (2,– 8) (– 3,– 8) (– 5,– 7) (– 7,– 4) (– 12,– 1) (– 13,2) (– 10,6)
   (– 8,7) (– 6,7) (– 4,4) (– 6,1) (– 8,2) (– 9,3) (– 8,4) (– 6,3) (– 6,5) (– 8,5) (– 10,3) (– 7,– 2)
   (– 5,– 3) (– 3,1) (– 1,2)

   Complète l'illustration en reliant les coordonnées (– 1,2) et (0,4).

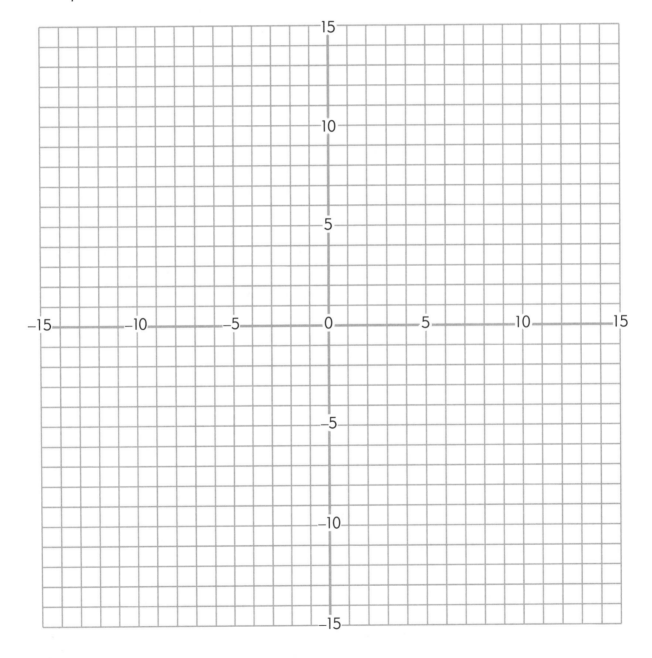

   Réponse : L'animal dont Joëlle a pris soin est un _____.

Test

1. **Trouve les coordonnées des points qui ont servi à produire l'image du cerf-volant de Lucas.**

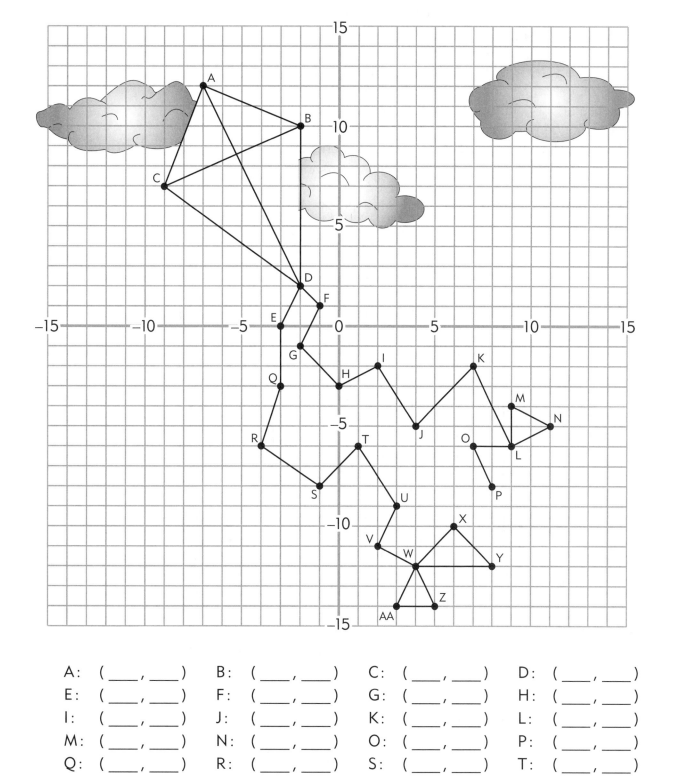

A: (___ , ___)   B: (___ , ___)   C: (___ , ___)   D: (___ , ___)

E: (___ , ___)   F: (___ , ___)   G: (___ , ___)   H: (___ , ___)

I: (___ , ___)   J: (___ , ___)   K: (___ , ___)   L: (___ , ___)

M: (___ , ___)   N: (___ , ___)   O: (___ , ___)   P: (___ , ___)

Q: (___ , ___)   R: (___ , ___)   S: (___ , ___)   T: (___ , ___)

U: (___ , ___)   V: (___ , ___)   W: (___ , ___)   X: (___ , ___)

Y: (___ , ___)   Z: (___ , ___)   AA: (___ , ___)

2. **Dans l'armée de terre et l'aviation, on compte 11 grades d'officiers. À l'aide des indices, découvre la hiérarchie des Forces armées canadiennes en positionnant chaque grade d'officier sur l'a×e ci-dessous. Tu devras ensuite répondre au× questions posées au bas de la page.**

L'élève-officier n'est pas à côté du lieutenant.
Le colonel est à gauche du brigadier-général.
Le lieutenant-général est à la position 4.
Le major-général est entre le lieutenant-général et le brigadier-général.
Le général est juste à droite du lieutenant-général.
Le lieutenant-colonel est entre le major et le colonel.
Le sous-lieutenant est à droite de l'élève-officier.
Le capitaine est entre le lieutenant et le major.

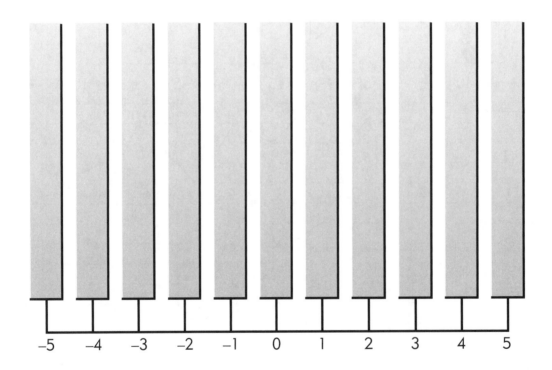

Note : Les nombres entiers positifs désignent les officiers générau× et amirau×. Le zéro et les nombres entiers négatifs désignent les officiers supérieurs, subalternes et subordonnés.

Quel grade est à la position 3 ? _____

Quel grade est à la position -2 ? _____

Quel grade est à la position 1 ? _____

Quel grade est à la position -5 ? _____

Exercices

1. **Dans les rectangles, dessine le développement des figures planes qui ont servi à former chacun des polyèdres suivants.**

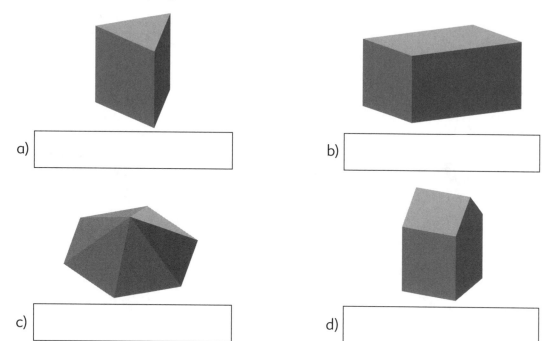

a)

b)

c)

d)

2. **Selon Leonhard Euler, mathématicien et physicien suisse qui a vécu au 18ᵉ siècle, lorsqu'on utilise la formule *sommets − arêtes + faces* avec n'importe quel polyèdre conve✕e, on obtient toujours 2. Vérifie la justesse de cette affirmation en appliquant la formule au✕ polyèdres suivants.**

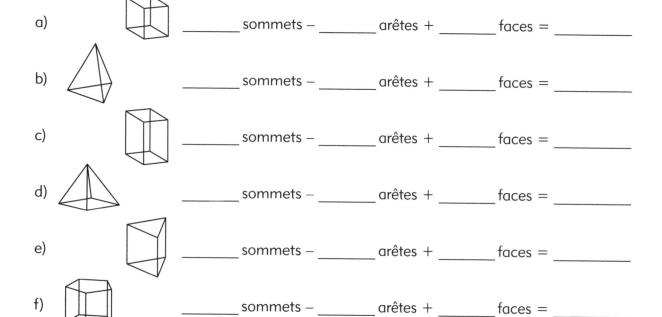

a) _____ sommets − _____ arêtes + _____ faces = _____

b) _____ sommets − _____ arêtes + _____ faces = _____

c) _____ sommets − _____ arêtes + _____ faces = _____

d) _____ sommets − _____ arêtes + _____ faces = _____

e) _____ sommets − _____ arêtes + _____ faces = _____

f) _____ sommets − _____ arêtes + _____ faces = _____

Test

1. Relie par un trait chacun des polyèdres à son développement.

a)  •   •

b) 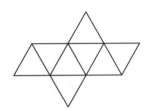 •   •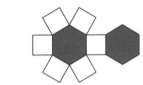

c)  •   •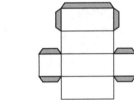

d)  •   •

e)  •   •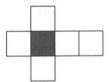

f) 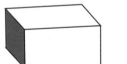 •   •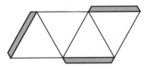

g)  •   •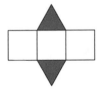

h)   •   •

Exercices

2. Applique la formule d'Euler à chacun des polyèdres.

a)    _____ sommets – _____ arêtes + _____ faces = _____

b)   _____ sommets – _____ arêtes + _____ faces = _____

c)   _____ sommets – _____ arêtes + _____ faces = _____

d)   _____ sommets – _____ arêtes + _____ faces = _____

e) 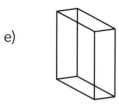   _____ sommets – _____ arêtes + _____ faces = _____

3. Le centre sportif du village où habite Émilie a une allure étrange : le rez-de-chaussée est composé de 3 prismes à base carrée disposés de façon à former un U. Aussi, chacune des 2 ailes parallèles du rez-de-chaussée comporte un étage en forme de prisme à base triangulaire. Enfin, l'aile centrale comporte un étage en forme de pyramide à base rectangulaire. Si Émilie reproduisait le centre sportif à l'aide de polyèdres, combien de sommets, d'arêtes et de faces comporterait sa maquette ?

Démarche :

Réponse : La maquette d'Émilie comporterait _____ sommets, _____ arêtes et _____ faces.

Exercices

1. Classe les polyèdres en inscrivant leur numéro dans le bon ensemble.

1.

2.

3.

4.

5.

6.

7.

8.

9.

Les polyèdres

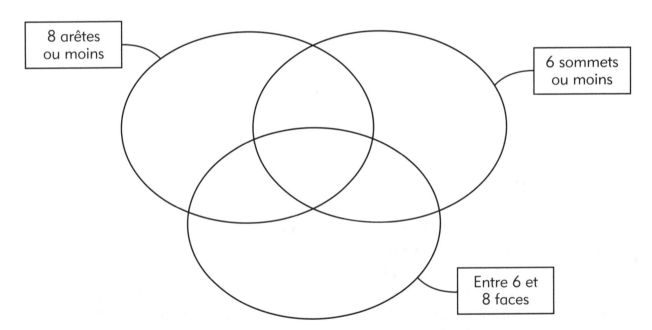

8 arêtes
ou moins

6 sommets
ou moins

Entre 6 et
8 faces

2. Colorie en bleu toutes les figures qui entrent dans la composition de 2 prismes à base carrée et de 3 pyramides à base carrée.

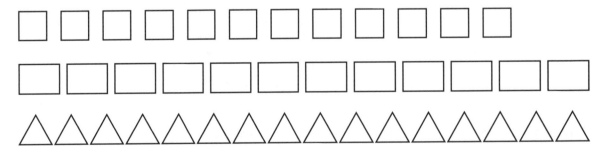

Test

1. **Rosalie et ses amies ont construit une cabane dans un arbre. Quels sont les 3 polyèdres différents qu'elles ont utilisés si leur cabane est composée de 6 triangles, de 6 carrés et de 3 rectangles ?**

   Démarche :

   Réponse : Pour construire leur cabane, Rosalie et ses amies ont utilisé

   1 _____ , 1 _____ et 1 _____ .

2. **Lori et Nathan préparent des sucettes glacées dans des moules au× formes originales. Quels sont les 4 polyèdres différents qu'ils ont utilisés si leurs moules sont composés de 9 carrés, de 6 triangles et de 7 rectangles ?**

   Démarche :

   Réponse : Pour préparer leurs sucettes glacées, Lori et Nathan ont utilité un moule

   en forme de _____ , un en forme de _____ , un en

   forme de _____ et un autre en forme de _____ .

3. **Voulant recréer une scène du film *King Kong* avec une figurine de gorille, Réginald et Violette ont fabriqué une réplique de l'Empire State Building de New York à l'aide de polyèdres. Si la base est composée de 4 prismes à base rectangulaire, la partie du milieu est composée de 6 prismes à base carrée, et les derniers étages sont composés de 2 prismes à base he×agonale et de 4 pyramides à base triangulaire, combien de sommets, d'arêtes et de faces comporte la réplique fabriquée par Réginald et Violette ?**

   Démarche :

   Réponse : La réplique fabriquée par Réginald et Violettte comporte _____ sommets,

   _____ arêtes et _____ faces en tout.

4. Ajoute le nombre de segments de droite demandé à chaque illustration pour obtenir un polyèdre transparent, puis identifie ce dernier.

a) 2 segments de droite

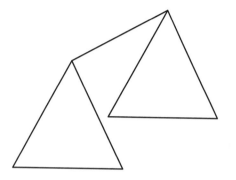

Nom du polyèdre : _____

b) 3 segments de droite

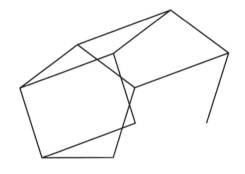

Nom du polyèdre : _____

c) 3 segments de droite

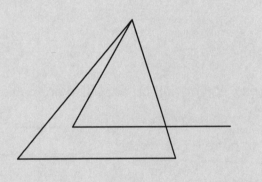

Nom du polyèdre : _____

d) 2 segments de droite

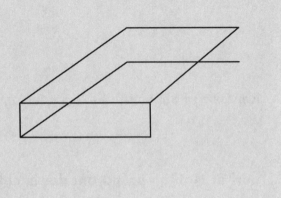

Nom du polyèdre : _____

e) 5 segments de droite

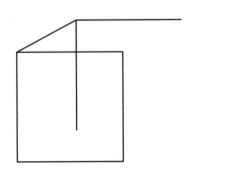

Nom du polyèdre : _____

f) 3 segments de droite

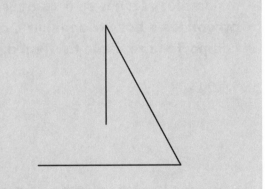

Nom du polyèdre : _____

Exercices

1. **Colorie en vert les triangles rectangles, en mauve les triangles équilatérauX, en rose les triangles isocèles et en orangé les triangles scalènes.**

2. **Pour chaque figure, colorie en bleu les angles droits, en rouge les angles aigus et en jaune les angles obtus.**

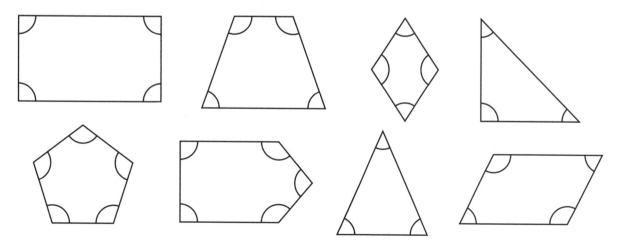

Test

3. Mesure chacun des angles à l'aide d'un rapporteur.

a) 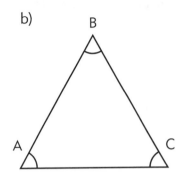   b)   c)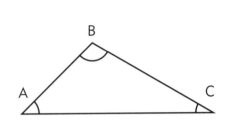

a) ∠A = _____ degrés   ∠A = _____ degrés   ∠A = _____ degrés

b) ∠B = _____ degrés   ∠B = _____ degrés   ∠B = _____ degrés

c) ∠C = _____ degrés   ∠C = _____ degrés   ∠C = _____ degrés

4. Sur le schéma ci-dessous, trace en vert le rayon, en mauve le diamètre, en rose la circonférence et en orangé l'angle au centre.

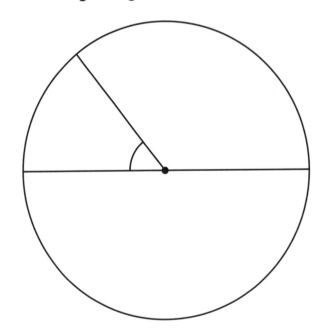

Test

1. **Dessine les figures demandées en reliant les points, puis décris chacune d'entre elles à l'aide des mots suivants : côtés, angles, droit(s), aigu(s), obtus, congru(s), non congru(s).**

a) Un triangle scalène

. . . . . .
. . . . . .
. . . . . .   Mes côtés sont _____.
. . . . . .   Mes angles sont _____.
. . . . . .
. . . . . .

b) Un triangle équilatéral

. . . . . .
. . . . . .
. . . . . .   Mes côtés sont _____.
. . . . . .   Mes angles sont _____.
. . . . . .
. . . . . .

c) Un triangle rectangle

. . . . . .
. . . . . .
. . . . . .   Je possède un angle _____.
. . . . . .   Je possède deux angles _____.
. . . . . .
. . . . . .

d) Un triangle isocèle

. . . . . .
. . . . . .
. . . . . .   Je possède une paire de côtés _____.
. . . . . .   Je possède une paire d'angles _____.
. . . . . .
. . . . . .

Exercices

2. Trace deu✗ segments de droite en reliant des points, et ce, afin d'obtenir les angles demandés.

a) Un angle aigu

. . . . . .

. . . . . .

. . . . . .

. . . . . .

. . . . . .

. . . . . .

b) Un angle droit

. . . . . .

. . . . . .

. . . . . .

. . . . . .

. . . . . .

. . . . . .

c) Un angle obtus

. . . . . .

. . . . . .

. . . . . .

. . . . . .

. . . . . .

. . . . . .

d) Un angle plat

. . . . . .

. . . . . .

. . . . . .

. . . . . .

. . . . . .

. . . . . .

3. Mesure chacun des angles à l'aide d'un rapporteur.

a)

∠ ABC = _____ degrés

b)

∠ DEF = _____ degrés

c)

∠ GHI = _____ degrés

d)

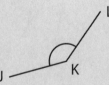

∠ JKL = _____ degrés

e)

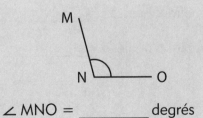

∠ MNO = _____ degrés

f)

∠ PQR = _____ degrés

Exercices

4. Trouve la mesure des angles à l'aide des indices, et ce, sans utiliser le rapporteur.

a)
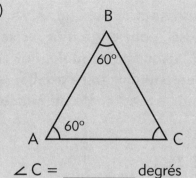

∠ C = _____ degrés

b)
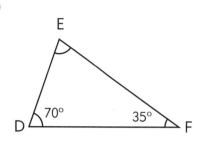

∠ E = _____ degrés

c)
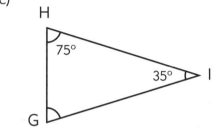

∠ G = _____ degrés

d)
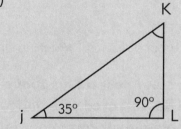

∠ K = _____ degrés

e)
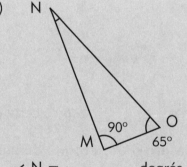

∠ N = _____ degrés

f)
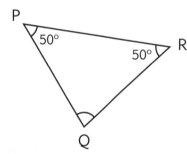

∠ Q = _____ degrés

g)
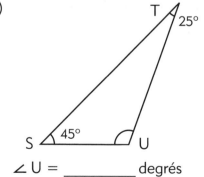

∠ U = _____ degrés

h)
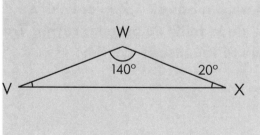

∠ V = _____ degrés

Exercices

79

5. **Pour anesthésier ses patients à qui il administre un traitement de canal, un dentiste met à profit ses talents d'hypnotiseur en faisant osciller un pendule. Grâce à ses e✕périences, il a découvert que plus le patient est an✕ieu✕, plus l'angle formé par le pendule doit être grand. Aussi, pour engourdir les sens de Jeannette, il n'a qu'à former un angle de 25 ° avec son pendule. Par contre, pour arriver au même résultat avec Bruno, le dentiste doit faire osciller le pendule à un angle 6 fois plus grand. Calcule puis trace l'angle du pendule nécessaire pour hypnotiser Bruno.**

Démarche :   Illustration :

Réponse : Le pendule doit former un angle de _____ ° afin d'hypnotiser Bruno.

6. **Lorsque sa sœur cadette lui donne une poussée, Josiane forme un angle imaginaire de 80 ° avec sa balançoire. Mais lorsque son frère aîné en fait de même, l'angle qui est formé par la balançoire est 1,5 fois plus grand. Calcule puis trace l'angle formé par la balançoire de Josiane après une poussée énergique de son frère aîné.**

Démarche :   Illustration :

Réponse : La balançoire de Josiane formera un angle de _____ ° après cette poussée.

7. **Au cours d'une visite au musée de la bicyclette, Marc a été étonné de constater que ce moyen de transport autopropulsé a subi des transformations e✕trêmes au cours des siècles. Aussi, il a remarqué que les roues du vélocipède inventé par les frères Michau✕ en 1861 n'avaient pas les mêmes dimensions : le rayon de devant mesurait 1,2 m et celui de derrière était plus petit, soit l'équivalent de $\frac{6}{10}$ de la taille du premier rayon. Trouve le RAYON de la roue arrière et donne ta réponse en centimètres.**

Démarche :

Réponse : Le rayon de la roue arrière du vélocipède mesure _____ cm.

Exercices

1. Écris les numéros des triangles dans la bonne colonne du tableau.

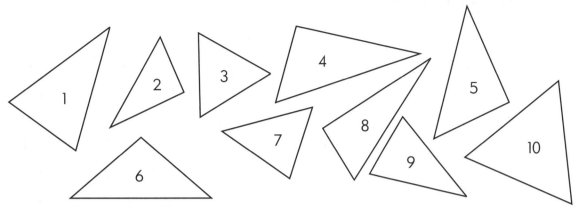

Triangles scalènes	Triangles isocèles	Triangles rectangles	Triangles équilatéraux

2. Mesure l'angle au centre de chaque cercle en utilisant un rapporteur.

a)

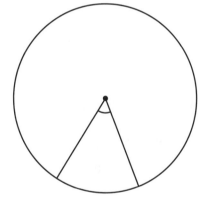

Angle au centre : _____ degrés

b)

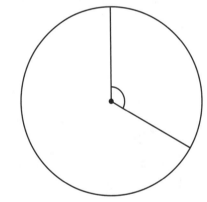

Angle au centre : _____ degrés

c)

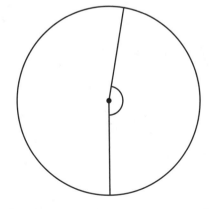

Angle au centre : _____ degrés

d)

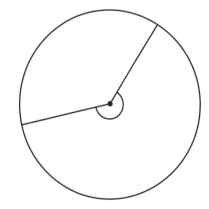

Angle au centre : _____ degrés

Test

3. **Trouve la mesure du rayon et du diamètre de chacun des cercles, et ce, en respectant l'échelle et l'unité de mesure.**

a) Échelle : 1/10

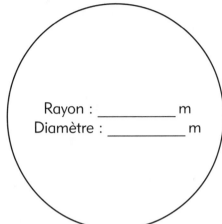

Rayon : _____ m
Diamètre : _____ m

b) Échelle : 1/100

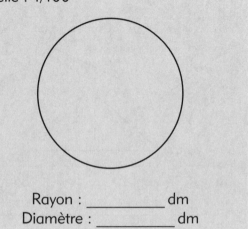

Rayon : _____ dm
Diamètre : _____ dm

c) Échelle : 1/5

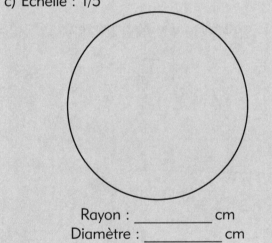

Rayon : _____ cm
Diamètre : _____ cm

d) Échelle : 1/3

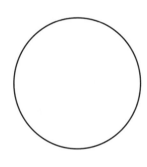

Rayon : _____ mm
Diamètre : _____ mm

e) Échelle : 1/4

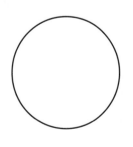

Rayon : _____ dm
Diamètre : _____ dm

f) Échelle : 1/10

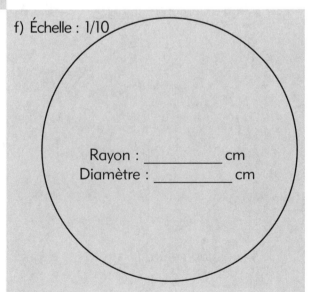

Rayon : _____ cm
Diamètre : _____ cm

Test

1. Partage les figures planes à l'aide de segments de droite, et ce, de manière à obtenir...

a) 4 triangles rectangles isocèles

b) 4 triangles rectangles

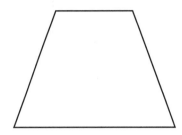

c) 2 triangles isocèles
2 triangles scalènes

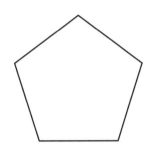

d) 3 triangles rectangles
1 triangle équilatéral

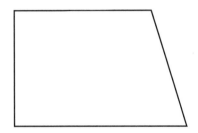

e) 2 triangles rectangles
2 triangles isocèles
2 triangles scalènes

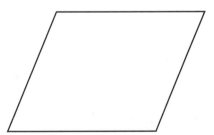

f) 4 triangles isocèles

g) 2 triangles rectangles
1 triangle scalène
1 triangle isocèle

h) 2 triangles rectangles
4 triangles scalènes

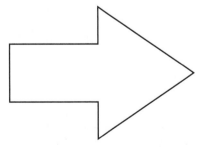

Exercices

2. **Dans chaque carré, trace deu× segments de droite qui forment un angle qui mesure e×actement...**

a)   30 °
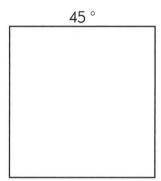

b)   45 °
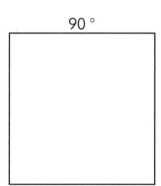

c)   60 °
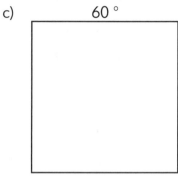

d)   75 °
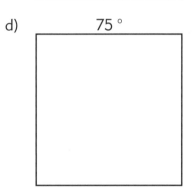

e)   90 °
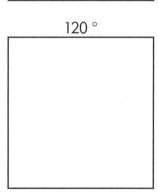

f)   110 °
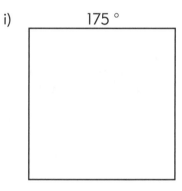

g)   135 °
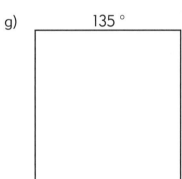

h)   120 °
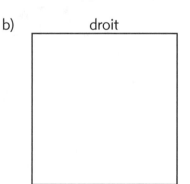

i)   175 °
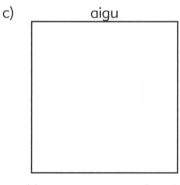

3. **Dans chaque carré, trace deu× segments de droite formant l'angle demandé, puis mesure ce dernier à l'aide d'un rapporteur.**

a)   obtus

Mesure : _____ degrés

b)   droit

Mesure : _____ degrés

c)   aigu

Mesure : _____ degrés

E×ercices

4. Trouve la mesure des angles à l'aide des indices, et ce, sans utiliser le rapporteur.

a) ∠ D = _____ degrés

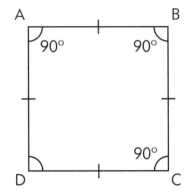

b) ∠ F = _____ degrés
∠ H = _____ degrés

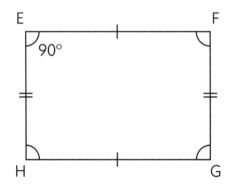

c) ∠ J = _____ degrés
∠ K = _____ degrés

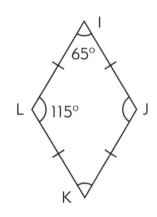

d) ∠ M = _____ degrés
∠ O = _____ degrés

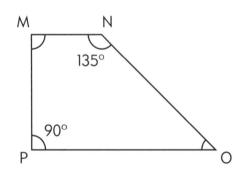

e) ∠ Q = _____ degrés
∠ R = _____ degrés
∠ T = _____ degrés

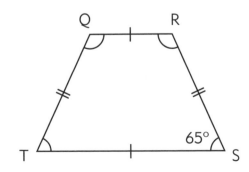

f) ∠ U = _____ degrés
∠ V = _____ degrés
∠ W = _____ degrés

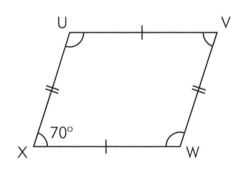

Exercices

5. **Trouve la mesure du rayon et du diamètre de chaque cercle, et ce, en respectant l'échelle et l'unité de mesure. Trace ensuite un angle au centre selon la mesure indiquée.**

a) Échelle : 1/2. Angle au centre : 20 °.

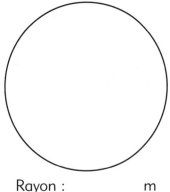

Rayon : _____ m
Diamètre : _____ m

b) Échelle : 1/7. Angle au centre : 100 °.

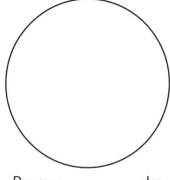

Rayon : _____ dm
Diamètre : _____ dm

c) Échelle : 1/8. Angle au centre : 85 °.

Rayon : _____ cm

Diamètre : _____ cm

d) Échelle : 1/50. Angle au centre : 315 °.

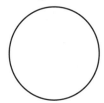

Rayon : _____ m

Diamètre : _____ m

e) Échelle : 1/25. Angle au centre : 260 °.

Rayon : _____ dm

Diamètre : _____ dm

f) Échelle : 1/20. Angle au centre : 170 °.

Rayon : _____ m

Diamètre : _____ m

Exercices

1. **Reproduis les frises par translation à partir du point déterminé par la lettre A, et ce, en utilisant du papier calque.**

    a) Translation de 8 cm vers 3 h

    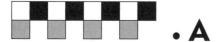 **· A**

    b) Translation de 5 cm vers 4 h

    c) Translation de 2 cm vers 6 h et de 4 cm vers 2 h

    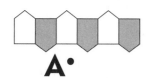

2. **Reproduis le dallage par translation à partir du point déterminé par la lettre A, et ce, en utilisant du papier calque.**

    Translation de 3 cm vers 11 h et de 9 cm vers 8 h

    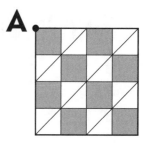

Test

**1. Reproduis la frise en lui faisant subir les translations demandées.
Le point de départ est marqué par l'étoile.**

    a) 12 cases vers la droite
    b) 8 cases vers le haut
    c) 10 cases vers la gauche
    d) 12 cases vers le haut
    e) 9 cases vers la droite
    f) 5 cases vers le bas

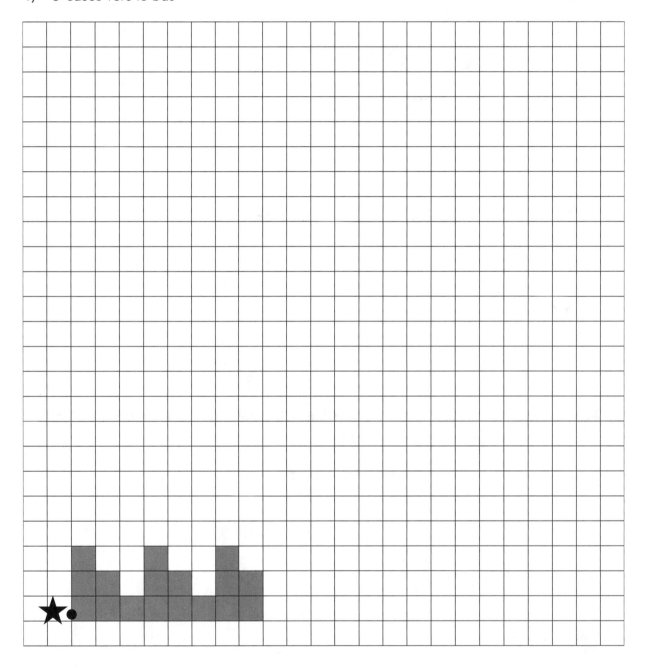

Exercices

2. Reproduis le dallage en lui faisant subir les translations demandées. Le point de départ est marqué par l'étoile.

a) 8 cases vers le haut
b) 12 cases vers la gauche
c) 16 cases vers le bas
d) 10 cases vers la droite

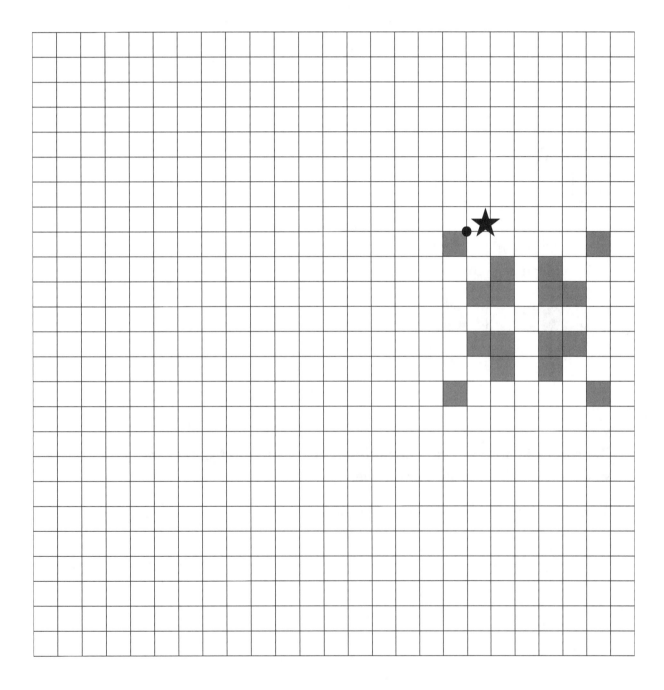

Exercices

1. Reproduis les frises par translation à partir du point déterminé par la lettre A, et ce, en utilisant du papier calque.

a) Translation de 3 cm vers 10 h

b) Translation de 2 cm vers 12 h et de 7 cm vers 3 h

c) Translation de 3 cm vers 4 h

2. Reproduis le dallage par translation à partir du point déterminé par la lettre A, et ce, en utilisant du papier calque.

Translation de 6 cm vers 2 h et de 2 cm vers 6 h

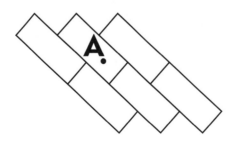

Test

1. **Reproduis la frise par translation à partir du point déterminé par la lettre A, et ce, en utilisant du papier calque.**

   – 5,5 cm vers 3 h
   – 4 cm vers 6 h
   – 8,5 cm vers 8 h
   – 6 cm vers 5 h
   – 4 cm vers 1 h

2. **Reproduis le dallage par translation à partir du point déterminé par la lettre A, et ce, en utilisant du papier calque.**

   – 9 cm vers 6 h
   – 4 cm vers 9 h
   – 14 cm vers 12 h
   – 10 cm vers 4 h
   – 5,5 cm vers 6 h

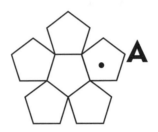

Exercices

1. **Compare les différentes mesures à l'aide des symboles <, > ou =.**

a)   5 km _____ 5000 m   b)   37 dm _____ 360 cm

c)   0,79 m _____ 8 dm   d)   462 mm _____ 0,462 m

e) 34,1 cm _____ 340 mm   f)   58 cm _____ 5,8 m

g) 9,054 m _____ 0,01 km   h) 21 450 dm _____ 2,145 km

i)   77 mm _____ 7 cm   j)   437 dm _____ 44 m

k) 6,32 km _____ 6 320 m   l)   0,001 km _____ 90 cm

2. **Place les mesures dans l'ordre décroissant.**

1,532 km	2135 dm	31,52 m	5123 mm	25,31 cm	13,25 m
251,3 dm	23,15 km	5312 cm	521,3 dm	1235 mm	215,3 cm

_____

_____

3. **Mesure les pailles ci-dessous en apportant une attention particulière à l'unité de mesure.**

a)   Réponse : _____ m

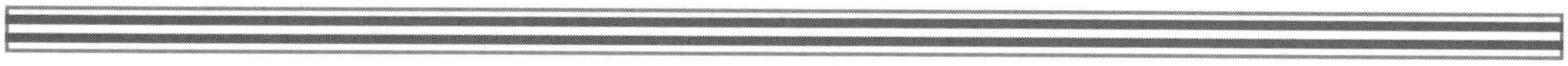

b)   Réponse : _____ dm

c)   Réponse : _____ mm

d)   Réponse : _____ cm

e)   Réponse : _____ m

f)   Réponse : _____ dm

Test

1. **Dans son arche, Noé a construit une section réservée pour chaque continent. Aussi, dans chaque section, il a fabriqué des enclos pour séparer les animau× végétariens de ceu× qui sont carnivores. Reproduis à l'échelle $\frac{1}{100}$ l'enclos des animau× d'Océanie en respectant les directives et en inscrivant le nom des animau× au bon endroit.**

- La section réservée au× animau× d'Océanie est de forme carrée, et l'un de ses côtés mesure 15 m.

- Les varans sont dans un enclos de forme rectangulaire placé à la verticale, à l'ouest de l'enclos des wallabies; l'un de ses côtés mesure 50 dm et l'autre, la moitié.

- Les koalas sont dans un enclos de forme rectangulaire placé à l'horizontale, au nord de la section; l'un de ses côtés mesure 50 dm et l'autre, le double.

- Les opossums sont dans un enclos de forme rectangulaire placé à la verticale, à l'est de l'enclos des wombats; l'un de ses côtés mesure 2,5 m et l'autre, le double.

- Les wombats sont dans un enclos de forme carrée placée dans la partie ouest de la section, juste en dessous de l'enclos des koalas; l'un de ses côtés mesure 0,005 km.

- Les wallabies sont dans un enclos de forme rectangulaire placé à la verticale, dans la partie est de la section; l'un de ses côtés mesure 1500 cm et l'autre, 3 fois moins.

- Les ornithorynques occupent le dernier enclos disponible.

Exercices

2. Avec ta règle, trace le trajet parcouru par la grenouille pour découvrir sur quel nénuphar elle va passer la nuit. Colorie ensuite ce nénuphar en vert.

1. Avance de 0,8 dm vers la gauche.

2. Avance de 50 mm vers le haut.

3. Avance de 0,04 m vers la droite.

4. Avance de 3 cm vers le bas.

5. Avance de 0,4 dm vers la droite.

6. Avance de 0,11 m vers le haut.

7. Avance de 6 cm vers la gauche.

8. Avance de 35 mm vers le bas.

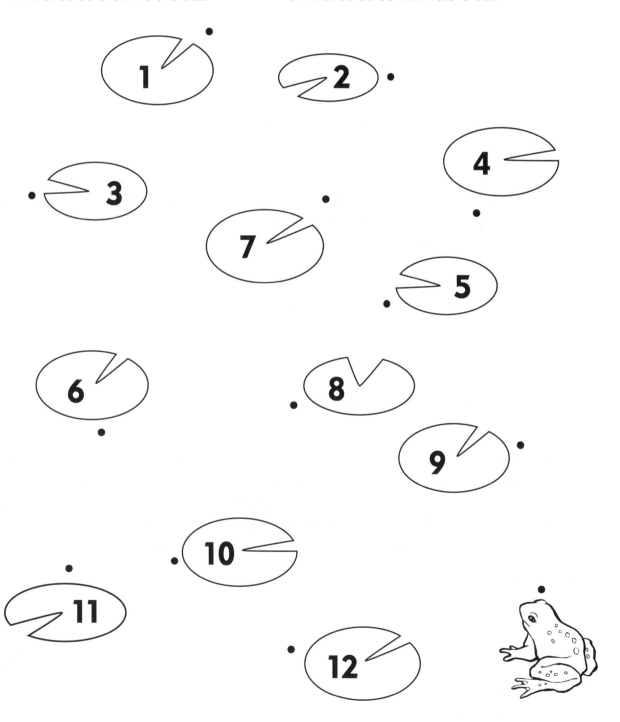

1. **En 1783, près de 2000 loyalistes sont venus s'établir au Québec, principalement dans la région de l'Estrie. Après avoir acquis un terrain non défriché, les membres de la famille Johnson ont décidé de le clôturer afin de faire l'élevage des moutons. Le terrain dont ils sont les propriétaires est en forme de L. Sa plus grande partie mesure 650 m de long sur 85 m de large, tandis que sa plus petite partie mesure 125 m de long sur 60 m de large. Trouve le périmètre du terrain des Johnson et transforme ta réponse en kilomètres.**

   Démarche :

   Réponse : Le périmètre du terrain des Johnson est de _____ km.

2. **Des équipes de nageurs à relais s'affrontent lors d'une compétition qui consiste à effectuer la traversée du lac Saint-Jean. Chaque équipe doit nager les 36 km dans un temps record. Si chaque équipe est composée de 8 membres, combien de MÈTRES devra nager chacun des membres ?**

   Démarche :

   Réponse : Chaque membre de l'équipe devra nager _____ m.

3. **La construction de la célèbre tour penchée de Pise en Italie a débuté en 1604. Elle est haute de 54,5 m, comporte 8 étages et son diamètre est de 15,5 m. Un marchand de souvenirs veut profiter de l'affluence des touristes pour vendre ses modèles réduits de la célèbre tour. Si ceux-ci sont à l'échelle $\frac{1}{100}$, trouve la hauteur ainsi que le diamètre du modèle réduit, et ce, en décimètres.**

   Démarche :

   Réponse : Sa hauteur est de _____ dm et son diamètre est de _____ dm.

Test

1. Additionne et soustrais les mesures de longueur en tenant compte des unités de mesure.

a)   15 m + 42 dm = _____ cm   b)   89 cm – 6 dm = _____ mm

c)   37 cm + 8,2 dm = _____ m   d)   0,05 km – 19 m = _____ dm

e)   4,6 m – 95 cm = _____ mm   f)   2500 mm + 7,2 m = _____ cm

g)   10 m – 560 mm = _____ dm   h)   2,39 m + 17,3 dm = _____ cm

2. Place chacune des mesures de longueur dans la bonne colonne.

78 dm	654 cm	0,05 km	36 cm	475 mm	361 dm
8,4 dm	2913 mm	45 839 mm	7426 cm	0,9 m	0,003 km

Entre 0 m et 0,999 m	Entre 1 m et 9,999 m	Entre 10 m et 99,999 m

3. Multiplie et divise les mesures de longueur en tenant compte des unités de mesure.

a)   53 cm × 7 = _____ dm   b) 450 mm ÷ 9 = _____ cm

c)   72 m ÷ 9 = _____ cm   d) 13 mm × 20 = _____ dm

e) 0,06 km × 3 = _____ m   f)   28 cm ÷ 4 = _____ mm

g)   3 km ÷ 60 = _____ dm   h)   4,6 m × 35 = _____ cm

Exercices

4. Relie les **20 points** dans l'ordre croissant à partir de **0,6 cm**, et ce, afin de découvrir l'insecte qui est venu se poser sur l'épaule de Jérémie.

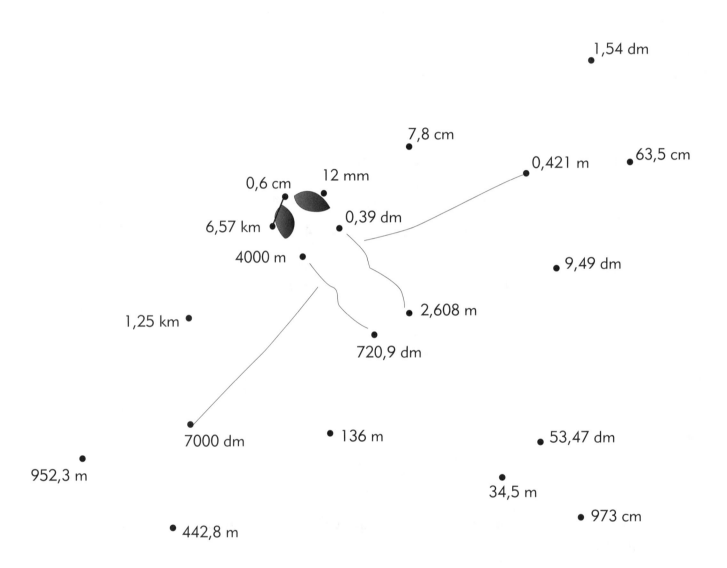

Exercices

1. **Pour la pratique du badminton, la direction de l'école des Champions a fait construire une palestre en forme de rectangle dont l'un des côtés mesure 18 mètres de longueur et un autre, 12 mètres de longueur. Trouve la mesure de la surface de la nouvelle palestre de l'école des Champions.**

   Démarche :

   Réponse : La mesure de la surface de la palestre de l'école des Champions est de _____ m².

2. **Ce matin, Arielle a vidé la boîte de céréales. Elle s'est ensuite amusée à déplier la boîte et a obtenu 2 rectangles mesurant chacun 40 cm sur 25 cm, 2 autres rectangles mesurant chacun 25 cm sur 10 cm, et encore 2 autres rectangles mesurant chacun 40 cm sur 10 cm. Trouve la mesure de la surface de la boîte de céréales dépliée.**

   Démarche :

   Réponse : La mesure de la surface de la boîte de céréales dépliée est de _____ cm².

3. **Antoine adore les animaux. Il possède des souris, des gerboises et des hamsters. Aussi, il a construit un enclos pour chaque espèce. L'enclos des souris est de forme carrée et l'un de ses côtés mesure 7 dm. Celui des gerboises est de forme rectangulaire et l'un de ses plus longs côtés mesure 16 dm, soit le double de la longueur de l'un de ses plus courts côtés. Enfin, celui des hamsters est de forme rectangulaire et l'un de ses plus courts côtés mesure 5 dm, soit le tiers de la longueur de l'un de ses plus longs côtés. Trouve la mesure de la surface totale des 3 enclos.**

   Démarche :

   Réponse : La mesure de la surface totale des 3 enclos est de _____ dm².

Test

1. À partir des indices, calcule l'aire des figures ci-dessous. N'oublie pas d'écrire ta réponse dans l'unité de mesure fournie.

a)

3,6 dm

1,8 dm

Aire : _____

b)

7,5 dm

Aire : _____

c)

0,9 m

0,3 m

Aire : _____

d)

4 dm

Aire : _____

e)

5 cm

8 cm

Aire : _____

f)

5 m

15 m

Aire : _____

g)

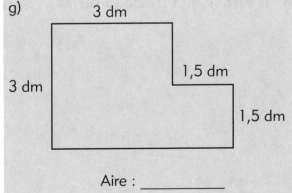

3 dm

1,5 dm

3 dm

1,5 dm

Aire : _____

h)

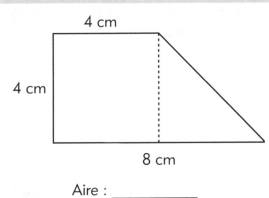

4 cm

4 cm

8 cm

Aire : _____

Exercices

2. Observe le plan de la maison des Cartier, puis réponds au× questions en laissant des traces de tes calculs. Apporte une attention particulière au× unités de mesure.

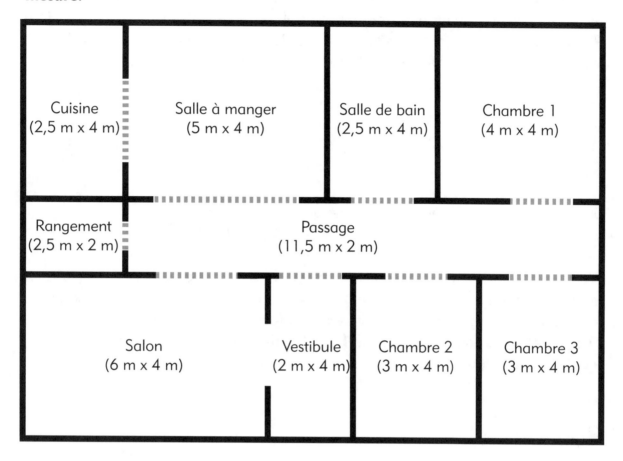

a) Trouve la superficie qu'occupe le salon en dm².

    Réponse : _____

b) Trouve la superficie qu'occupent les 3 chambres en dm².

    Réponse : _____

c) Combien de dm² manque-t-il au rangement pour atteindre la superficie de la cuisine ?

    Réponse : _____

d) Calcule la superficie totale de la maison en m².

    Réponse : _____

Exercices

1. **Sébastien et Louis jouent au hockey depuis la maternelle. La patinoire sur laquelle ils s'entraînent avec les autres membres de leur équipe mesure 61 m sur 26 m et respecte les normes nord-américaines. Toutefois, leurs correspondants russes, Pavel et Viktor, jouent leurs matchs sur une patinoire mesurant 61 m sur 31 m. Trouve la différence entre l'aire de la surface des patinoires nord-américaines et celle de la surface des patinoires européennes.**

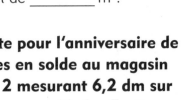

Démarche :

Réponse : La différence entre les mesures de l'aire de la surface des patinoires nord-américaines et européennes est de _____ m².

2. **Valérie et Chloé veulent confectionner une courtepointe pour l'anniversaire de mariage de leurs parents. En fouillant parmi les articles en solde au magasin de tissu, elles ont trouvé 5 pièces rectangulaires, dont 2 mesurant 6,2 dm sur 9,3 dm et 3 mesurant 6,2 dm sur 12,4. Si elles cousent ensemble les 5 pièces, quelle surface leur courtepointe recouvrira-t-elle?**

Démarche :

Réponse : La courtepointe confectionnée par Valérie et Chloé aura une surface de _____ dm².

3. **Arrondie à la centaine près, la superficie du Lu✕embourg serait 25 fois plus petite que celle de la Lituanie. Si ce dernier pays était de la forme d'un triangle rectangle, ses frontières perpendiculaires mesureraient respectivement 500 km et 260 km. Sachant que 2 triangles rectangles fi✕és ensemble forment un rectangle, trouve la superficie du Lu✕embourg arrondie à la centaine près.**

Démarche :

Réponse : La superficie du Lu✕embourg arrondie à la centaine près est de _____ km².

Test

1. **À partir des indices, calcule l'aire des figures ci-dessous. Attention aux unités de mesure.**

a)

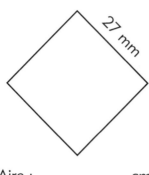

Aire : _____ cm²

b)

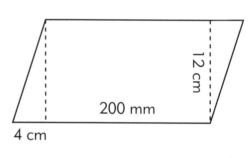

Aire : _____ cm²

c)

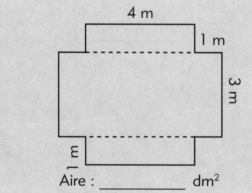

Aire : _____ dm²

d)

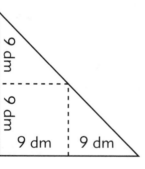

Aire : _____ cm²

e)

Aire : _____ m²

f)

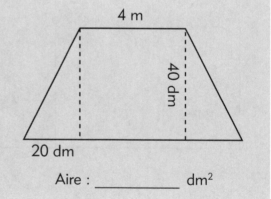

Aire : _____ dm²

g)

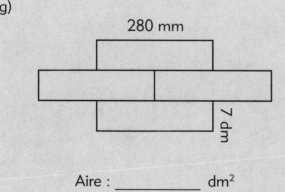

Aire : _____ dm²

h)

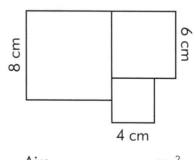

Aire : _____ cm²

Exercices

2. Bénédicte vient de se procurer un laissez-passer estival pour le parc d'attractions. Observe le plan de l'endroit, puis réponds aux questions.

Manèges pour
les tout-petits
(32,5 m x 19,5 m)

Manèges à
sensations fortes
(26 m x 26 m)

Glissades d'eau
(19,5 m x 19,5 m)

Spectacles
nautiques
(338 m²)

Jeux d'adresse
et d'arcade
(507 m²)

Administration

Billetterie

Restaurants et boutiques
de souvenirs
(39 m x 13 m)

a) Quelle superficie les manèges des tout-petits occupent-ils ? _____

b) Quelle superficie les restaurants et les boutiques de souvenirs occupent-ils ? _____

c) Quel est le périmètre de l'espace réservé aux spectacles nautiques ? _____

d) Quelles sont les dimensions de l'espace réservé aux jeux d'adresse ? _____

e) Quelle superficie l'administration occupe-t-elle ? _____

f) Quelle superficie le parc d'attractions occupe-t-il ? _____

Exercices

1. Au Jardin zoologique, on trouve des mammifères étranges, des oiseaux exotiques, de curieux reptiles, mais aussi des poissons tropicaux, des coraux et des invertébrés qui cohabitent dans un bassin aux parois de verre transparent. L'immense aquarium mesure 25 mètres de long, 17 mètres de large et 6 mètres de haut. Calcule le volume du bassin en mètres cubes.

   Démarche :

   Réponse : Le volume du bassin est de _____ m^3.

2. Adélaïde veut grouper des blocs dans des boîtiers. Si chaque boîtier mesure 5 dm de long sur 4 dm de large sur 3 dm de haut, et que chaque bloc de la forme d'un cube mesure 1 dm, combien de blocs Adélaïde peut-elle ranger dans un boîtier ?

   Démarche :

   Réponse : Adélaïde peut ranger _____ blocs dans un boîtier.

3. Lorsque les astronautes se rendent sur la Station spatiale internationale à bord de leur navette, ils ne peuvent emporter avec eux qu'un nombre restreint d'objets personnels (disques compacts, jeux, photos de leur famille, etc.). Aussi, la mallette prêtée par l'agence spatiale à chaque astronaute pour ranger ses effets ne mesure que 46 cm de long, 24 cm de large et 8 cm de haut. Calcule le volume de la mallette de chaque astronaute en centimètres cubes.

   Démarche :

   Réponse : Le volume de la mallette de chaque astronaute est de _____ cm^3.

Test

1. Calcule le volume de chaque coffre-fort.

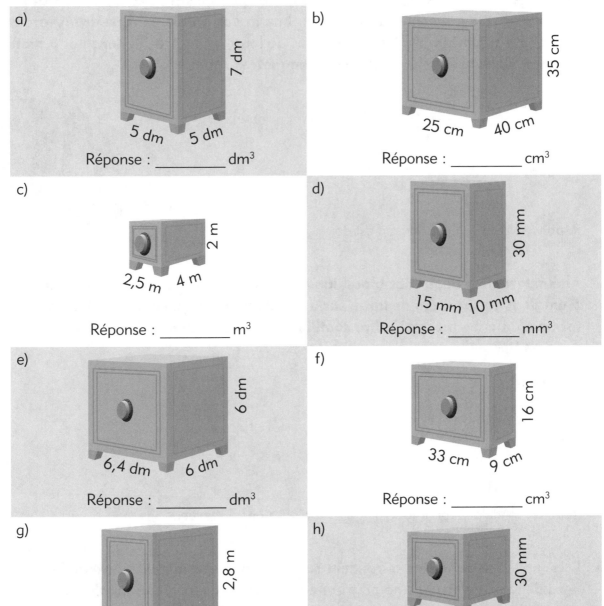

a)

7 dm
5 dm　5 dm

Réponse : _____ dm³

b)

35 cm
25 cm　40 cm

Réponse : _____ cm³

c)

2 m
2,5 m　4 m

Réponse : _____ m³

d)

30 mm
15 mm　10 mm

Réponse : _____ mm³

e)

6 dm
6,4 dm　6 dm

Réponse : _____ dm³

f)

16 cm
33 cm　9 cm

Réponse : _____ cm³

g)

2,8 m
1,7 m　3 m

Réponse : _____ m³

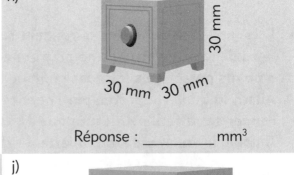

h)

30 mm
30 mm　30 mm

Réponse : _____ mm³

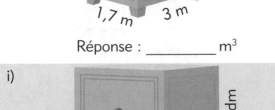

i)

11 dm
27 dm　12,25 dm

Réponse : _____ dm³

j)

15 cm
38,9 cm　20 cm

Réponse : _____ cm³

Exercices

2. Calcule le volume de chaque boîte à lessive en poudre. Attention aux unités de mesure.

a)

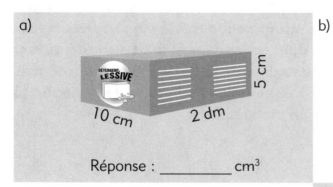

Réponse : _____ cm³

b)

Réponse : _____ cm³

c)

Réponse : _____ dm³

d)

Réponse : _____ cm³

e)

Réponse : _____ cm³

f)

Réponse : _____ dm³

g)

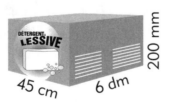

Réponse : _____ m³

h)

Réponse : _____ cm³

i)

Réponse : _____ dm³

j)

Réponse : _____ cm³

Exercices

1. **La Zone 51, située dans le désert du Nevada aux États-Unis, fait partie du folklore de l'ufologie. En effet, selon le témoignage de certains habitants de la région, on y aurait entreposé un objet volant non identifié qui se serait écrasé près de Roswell au Nouveau-Mexique dans les années 1950. Le cousin du frère de la nièce du cuisinier du régiment cantonné sur la base militaire aurait même pris une photo du hangar, qui mesure 150 m de long sur 40 m de large sur 15 m de haut. Calcule le volume du hangar en mètres cubes.**

   Démarche :

   Réponse : Le volume du hangar est de _____ m³.

2. **Un confiseur confectionne des friandises et autres sucreries à partir de fruits confits. Ses bonbons sont tous en forme de cube de 1 cm, mais se distinguent par leurs couleurs et se vendent dans des bonbonnières de différents formats : la première mesure 8 cm de long sur 5 cm de large sur 5 cm de haut, la deuxième, 7 cm de long sur 4 cm de large sur 7 cm de haut, et la troisième, 12 cm de long sur 3 cm de large sur 5 cm de haut. Combien de bonbons chaque bonbonnière contient-elle ?**

   Démarche :

   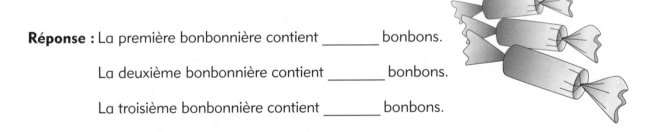

   Réponse : La première bonbonnière contient _____ bonbons.

   La deuxième bonbonnière contient _____ bonbons.

   La troisième bonbonnière contient _____ bonbons.

3. **Le coffre à bijoux de Laurence mesure 1,2 dm de long sur 10,8 cm de large sur 74 mm de haut. Calcule le volume du coffre à bijoux de Laurence en centimètres cubes. Attention aux unités de mesure.**

   Démarche :

   Réponse : Le volume du coffre à bijoux de Laurence est de _____ cm³.

Test

1. Calcule le volume de chaque assemblage.

a)

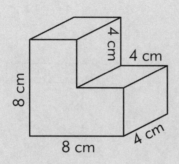

Réponse : _____ cm³

b)

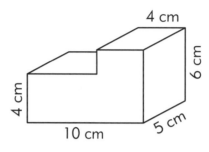

Réponse : _____ cm³

c)

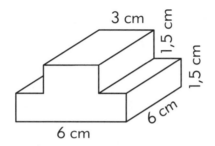

Réponse : _____ cm³

d)

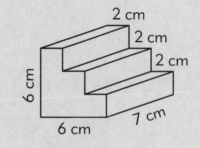

Réponse : _____ cm³

e)

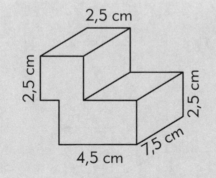

Réponse : _____ cm³

f)

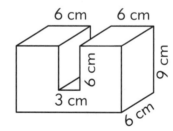

Réponse : _____ cm³

g)

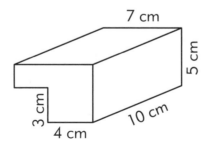

Réponse : _____ cm³

h)

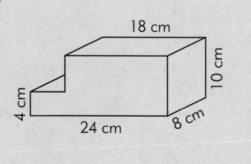

Réponse : _____ cm³

Exercices

2. Calcule le volume de chaque assemblage. Attention aux unités de mesure.

a)

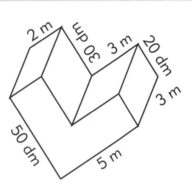

Réponse : _____ cm³

b)

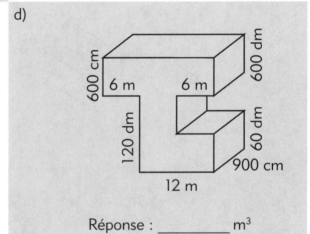

Réponse : _____ dm³

c)

Réponse : _____ m³

d)

Réponse : _____ m³

e)

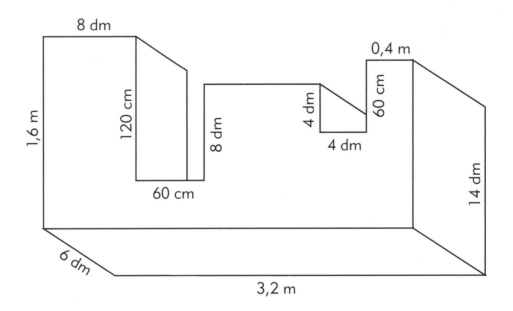

Réponse : _____ dm³

Exercices

1. À son érablière, un acériculteur recueille la sève des érables dans des récipients d'aluminium. Dans un tonneau tiré par un tracteur, il collecte le précieux sucre : il peut transvider ainsi 48 récipients dans le tonneau. Ensuite, il transporte le tonneau vers la sucrerie afin de vider son contenu dans une énorme citerne : celle-ci peut contenir l'équivalent de 25 tonneaux. Si chaque récipient d'aluminium a une capacité de 2 l, combien de litres de sève d'érable la citerne peut-elle contenir ?

   Démarche :

   Réponse : La citerne peut contenir _____ litres de sève d'érable.

2. Jeanne et Lucille viennent d'ouvrir une boulangerie-pâtisserie dans un quartier très fréquenté de la ville. Aussi, une cliente leur demande de lui confectionner 347 gâteaux aux épices. Les deux amies vont chercher une recette sur Internet afin de préparer la pâte des gâteaux : il leur faut 3 cuillers à café de cannelle et 1 cuiller à café de muscade par gâteau. Si 1 cuiller à café équivaut à 5 ml, combien de millilitres de cannelle et de muscade auront-elles besoin pour préparer les 347 gâteaux aux épices ?

   Démarche :

   Réponse : Jeanne et Lucille auront besoin de _____ ml de cannelle et de _____ ml de muscade.

3. Étienne et Nancy reçoivent des amis autour de leur piscine. Étienne s'occupe du barbecue pendant que Nancy prépare des cocktails sans alcool. Pour concocter un Spring Fever, elle a besoin de 60 ml de jus d'orange, 20 ml de jus d'ananas, 30 ml de jus de fruits de la passion, 25 ml de jus de cerises, 20 ml de jus de citron et 15 ml de jus de mangue. De quelle quantité de jus, toutes sortes confondues, aura-t-elle besoin pour servir des cocktails à ses 12 invités ?

   Démarche :

   Réponse : Nancy aura besoin de _____ ml de jus pour servir des cocktails à ses 12 invités.

Test

1. À l'aide de la légende, calcule la quantité d'ingrédients nécessaires pour préparer chaque recette.

Légende :
1 cuiller à café = 5 ml   1 cuiller à soupe = 15 ml   1 tasse = 250 ml

a) 3 tasses de farine
2 tasses de sucre
½ tasse d'huile végétale
1 cuiller à soupe d'extrait de vanille
2 cuillers à café de bicarbonate de soude

Calculs :

Réponse : _____ ml

b) 2 ¼ tasses de sauce tomate
1 ½ tasse de pâte de tomate
2 cuillers à soupe d'huile d'olive
1 cuiller à soupe de poudre d'ail
5 cuillers à café d'épices italiennes

Calculs :

Réponse : _____ ml

c) ¾ de tasse de jus d'orange
½ tasse de jus de lime
¼ de tasse de jus de pamplemousse
1 cuiller à soupe de grenadine
2 cuillers à café de jus de citron

Calculs :

Réponse : _____ ml

d) 5 tasses de porc haché
4 ¾ tasses de bœuf haché
2 ½ tasses de veau haché
1 ½ cuiller à soupe de sel
1 ½ cuiller à café de clou de girofle

Calculs :

Réponse : _____ ml

2. À l'aide de la légende, place les numéros des ensembles de contenants dans l'ordre croissant selon leur capacité.

Légende :

A : 1 boisseau = 36 l   C : 1 pinte = 1,137 l

B : 1 gallon impérial = 4,546 l   D : 1 chopine = 0,568 l

1	2	3	4	5	6	7	8
A + B + C	4 X D	C + D	A – B	B + C – D	3 X C	A – B + D	B – C – D
9	10	11	12	13	14	15	16
5 X B	10 X D	A + D	A + B – C	7 X C	A + A + B	B + B + C	A + C – B

Exercices

1. **Le réservoir à essence de la voiture de Marjorie peut contenir 42 litres de carburant. Avec un litre de carburant, elle peut parcourir une distance d'environ 13 km. Combien de litres d'essence restera-t-il dans le réservoir de sa voiture une fois qu'elle aura franchi la distance de 416 km séparant Halifax (en Nouvelle-Écosse) de Fredericton (au Nouveau-Brunswick) ?**

    Démarche :

    Réponse : Il restera _____ litres d'essence dans le réservoir de la voiture de Marjorie.

2. **Un pomiculteur de la Montérégie produit 3500 bouteilles de jus de pomme par année. Si chaque bouteille contient 750 ml, combien de litres de jus de pomme doit-il produire ? Attention aux unités de mesure.**

    Démarche :

    Réponse : Le pomiculteur doit produire _____ litres de jus de pomme.

3. **Dans le cadre d'un projet en science et technologie, Bérénice et Jasmin ont construit une maquette pour représenter le canal de Soulanges et ses écluses. À l'aide d'une pompe actionnée par un moteur, l'eau circule et remplit chaque écluse à sa pleine capacité, soit 5,3 litres. De combien de tasses d'eau Bérénice et Jasmin ont-ils besoin pour remplir les 5 écluses de leur maquette si une tasse d'eau peut contenir 250 ml ?**

    Démarche :

    Réponse : Bérénice et Jasmin ont besoin de _____ tasses d'eau pour remplir les 5 écluses.

Test

1. **Pendant leurs expériences avec les fluides, les scientifiques utilisent divers contenants. Calcule la capacité de chaque ensemble en te référant à la légende. Attention aux unités de mesure.**

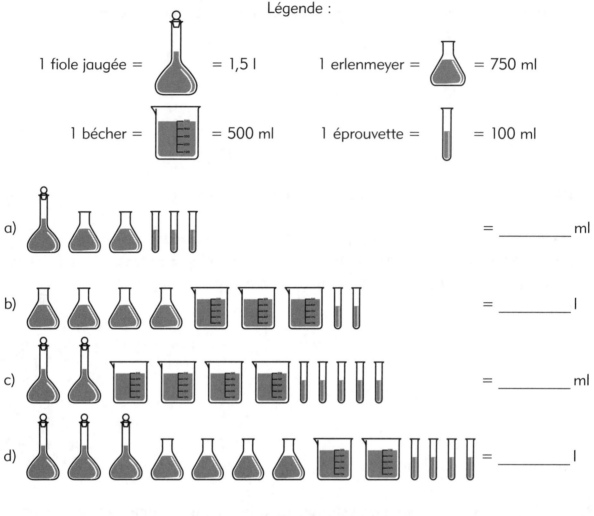

Légende :

1 fiole jaugée = = 1,5 l   1 erlenmeyer = = 750 ml

1 bécher = = 500 ml   1 éprouvette = = 100 ml

a) = _____ ml

b) = _____ l

c) = _____ ml

d) = _____ l

e) = _____ ml

f) = _____ l

g) = _____ ml

h) = _____ l

1. **Le dauphin est un mammifère marin carnivore. Il se nourrit principalement de harengs. Le dauphin pèse environ 75 kg et il peut avaler dans une journée l'équivalent du $\frac{1}{3}$ de son poids. Combien de kilogrammes de harengs un groupe de 6 dauphins peut-il avaler en une semaine?**

   Démarche :

   Réponse : Un groupe de 6 dauphins peut avaler _____ kg de harengs en une semaine.

2. **Les Perséides sont des étoiles filantes qu'on peut observer dans le ciel en août. Les étoiles filantes, aussi connues sous le nom de *météorites*, sont des objets qui s'enflamment en traversant l'atmosphère de la Terre avant de s'écraser au sol. L'an passé, un chasseur de météorites a ramassé 7 fragments de météorites pesant respectivement 485 g, 278 g, 346 g, 91 g, 67 g, 143 g et 209 g qu'il s'est empressé de déposer dans deux besaces qui avaient chacune un poids de 250 g. Quelle masse le chasseur de météorites a-t-il dû transporter jusqu'à son laboratoire?**

   Démarche :

   Réponse : Le chasseur de météorites a dû transporter une masse de _____ g.

3. **La musaraigne pygmée est le plus petit mammifère au monde et sa masse est de 2 g. Le record du plus gros mammifère revient au rorqual bleu, une espèce de baleine pouvant atteindre une masse de 140 tonnes, soit 140 000 kg. Pour sa part, la masse de l'humain est généralement de 70 kg. Combien de fois plus grande est la masse de l'humain comparativement à celle de la musaraigne pygmée? Combien de fois plus petite est la masse de l'humain comparativement à celle du rorqual bleu? Attention aux unités de mesure.**

   Démarche :

   Réponse : La masse de l'humain est _____ fois plus grande que celle de la musaraigne pygmée et _____ fois plus petite que celle du rorqual bleu.

1. **À l'aide de la légende, calcule la masse des ingrédients nécessaires pour préparer chaque variante de la recette de biscuits.**

Légende :
1 tasse de farine = 175 g 1 cuiller à soupe de beurre = 15 g
1 tasse de sucre = 225 g 1 cuiller à soupe de cassonade = 12 g
1 tasse de cacao = 110 g 1 cuiller à soupe d'amandes tranchées = 10 g

a) 2 tasses de farine
    1 tasse de sucre
    ¼ de tasse de cacao
    3 cuillers à soupe de beurre
    2 cuillers à soupe de cassonade

Calculs :

Réponse : _____ g

b) 3 ½ tasses de farine
    1 ½ de sucre
    ½ tasse de cacao
    1 cuiller à soupe de cassonade
    4 ½ cuillers à soupe d'amandes tranchées

Calculs :

Réponse : _____ g

c) ¾ de tasse de farine
    ⅓ de tasse de sucre
    10 cuillers à soupe de cassonade
    ½ cuiller à soupe de beurre
    5 cuillers à soupe d'amandes tranchées

Calculs :

Réponse : _____ g

d) 1 tasse de farine
    1 tasse de sucre
    4 cuillers à soupe de beurre
    3 ¼ cuillers à soupe de cassonade
    2 cuillers à soupe d'amandes tranchées

Calculs :

Réponse : _____ g

2. **À l'aide de la légende, place les numéros des ensembles de poids par ordre décroissant de masse.**

Légende :	A : 1 livre = 450 g	C : 1 carat = 3,17 g
	B : 1 once = 28,35 g	D : 1 avoirdupois = 1,77 g

1	2	3	4	5	6	7	8
5 x C	B + B + C	A – C + B	B + C – D	10 x D	A + B + D	A + A – B	B + B – D
9	**10**	**11**	**12**	**13**	**14**	**15**	**16**
3 x B	B – C – D	A – B – C	A – B + D	B – C + D	2 x A	C + C – D	6 x D

Exercices

1. **La date de leur départ pour l'Amérique du Sud approchant à grands pas, Vincent et Patricia préparent leurs bagages. Puisqu'ils comptent dormir dans les auberges de jeunesse, ils décident d'apporter chacun une valise à roulettes. Afin de respecter les mesures de sécurité, la masse de leur bagage respectif ne doit pas dépasser 10 kg (incluant les 2,3 kg que pèse la valise). Vérifie si la masse de chaque valise respecte la norme. Si elle ne la respecte pas, calcule la masse excédentaire. Attention aux unités de mesure.**

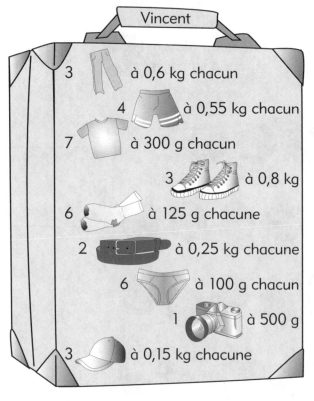

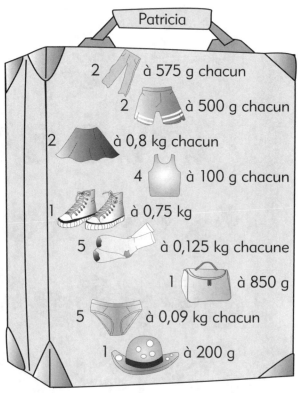

Masse du bagage : _____ kg   Masse du bagage : _____ kg

Respecte-t-elle la norme ? OUI   NON   Respecte-t-elle la norme ? OUI   NON

Masse excédentaire, s'il y a lieu : _____ kg   Masse excédentaire, s'il y a lieu : _____ kg

2. **Munich est la troisième ville d'Allemagne pour sa superficie. Chaque automne, on y célèbre l'*Oktoberfest*, et l'on y mange les spécialités régionales : la saucisse et la choucroute. Lors d'un banquet donné dans un parc de la ville, 86 invités ont englouti 30,1 kg de saucisse et 43 kg de choucroute. En moyenne, quelle quantité de saucisses et de choucroute chaque invité a-t-il engloutie ?**

Démarche :

Réponse : Chaque invité a englouti _____ kg de saucisse et _____ kg de choucroute.

Test

1. **Lorsqu'ils s'entraînent physiquement en vue de mieux combattre les incendies, les pompiers lèvent des poids et haltères. Calcule la masse de chaque ensemble en te référant à la légende. Attention aux unités de mesure.**

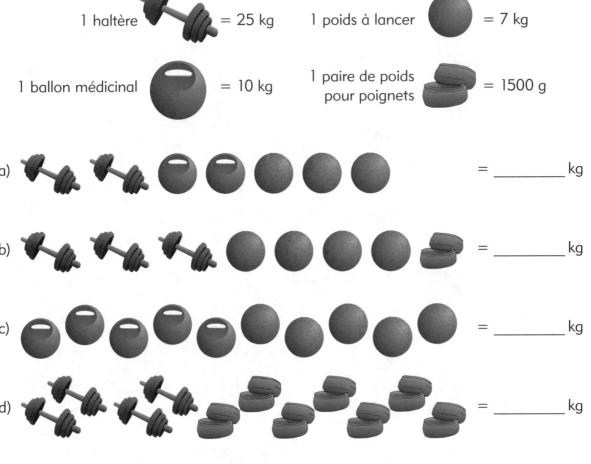

Légende :

1 haltère = 25 kg   1 poids à lancer = 7 kg

1 ballon médicinal = 10 kg   1 paire de poids pour poignets = 1500 g

a) = _____ kg

b) = _____ kg

c) = _____ kg

d) = _____ kg

e) = _____ kg

f) = _____ kg

g) = _____ kg

h) = _____ kg

Exercices

1. **Dans la dernière semaine du mois de juillet, un maraîcher a récolté 1500 légumes appartenant à 8 espèces différentes. Observe le diagramme circulaire, puis réponds aux questions.**

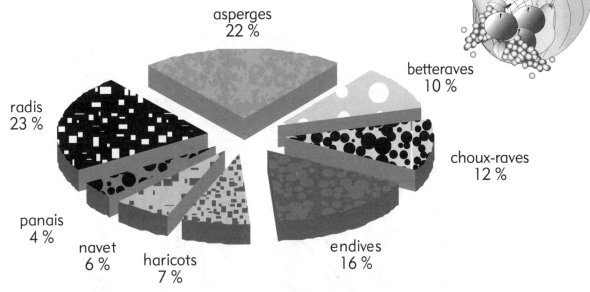

asperges
22 %

betteraves
10 %

radis
23 %

choux-raves
12 %

panais
4 %

navet
6 %

haricots
7 %

endives
16 %

a) Combien d'endives le maraîcher a-t-il récoltées ? _____

b) Combien de radis le maraîcher a-t-il récoltés ? _____

c) Combien de betteraves et de haricots le maraîcher a-t-il récoltés ? _____

d) Combien de choux-raves de plus que de panais le maraîcher a-t-il récoltés ? _____

e) Combien de navets de moins que d'asperges le maraîcher a-t-il récoltés ? _____

2. **Le directeur de la banque a demandé à ses employés de consigner le nombre de clients qui utilisaient quotidiennement le guichet automatique. Ainsi, on a dénombré 39 clients le dimanche, 42 le lundi, 36 le mardi, 27 le mercredi, 58 le jeudi, 75 le vendredi et 40 le samedi. Calcule la moyenne d'achalandage quotidien au guichet automatique de la banque, et arrondis ta réponse à l'unité près.**

Démarche :

Réponse : La moyenne d'achalandage quotidien au guichet automatique de la banque est de _____ clients.

Test

3. Les conditions météorologiques varient d'un endroit à l'autre. Observe le dia-gramme à bandes, qui indique le nombre annuel de journées avec précipitations (pluie, neige, grésil, etc.) pour quelques grandes villes du monde, puis réponds aux questions.

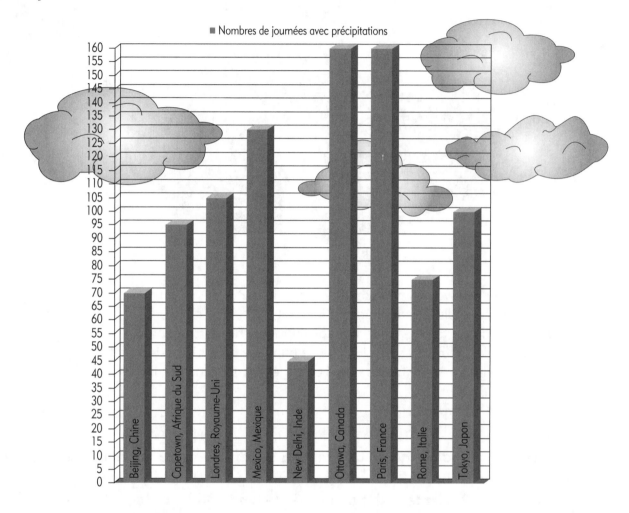

a) Combien de jours de précipitations compte-t-on à Tokyo annuellement ? _____

b) Combien de jours de précipitations compte-t-on à Rome annuellement ? _____

c) Combien de jours SANS précipitations compte-t-on à Beijing annuellement ? _____

d) Dans quelle ville compte-t-on le moins de précipitations annuellement ? _____

e) Dans quelles villes compte-t-on le plus de précipitations annuellement ? _____

f) Combien de jours de précipitations de moins compte-t-on à Capetown comparativement à Mexico ? _____

g) Combien de jours de précipitations de plus compte-t-on à Mexico comparativement à Londres ? _____

Test

1. **En procédant à l'inventaire hebdomadaire, le maître d'hôtel se rend compte que les quantités de couverts sont disparates. Observe le diagramme circulaire, puis réponds aux questions.**

a) Combien de pièces de vaisselle le maître d'hôtel a-t-il comptées ? _____

b) Combien d'ustensiles le maître d'hôtel a-t-il comptés ? _____

c) Combien de fourchettes de moins que de soucoupes le maître d'hôtel a-t-il comptées ? _____

d) Combien de cuillers de moins que de coupes le maître d'hôtel a-t-il comptées ? _____

e) Combien de personnes pourront bénéficier d'un couvert complet ? _____

Nombre d'ustensiles ou de pièces de vaisselle

cuillers 89
assiettes 123
couteaux 72
soucoupes 148
fourchettes 113
tasses 95
coupes 107

2. **Les membres de la famille Beauregard aiment écouter la télévision. Observe le diagramme à bandes, puis réponds aux questions.**

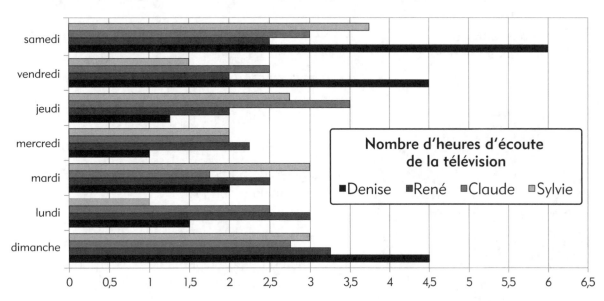

Nombre d'heures d'écoute de la télévision
■Denise ■René □Claude □Sylvie

a) Combien d'heures Claude passe-t-il devant la télé chaque semaine ? _____

b) En moyenne, combien d'heures René consacre-t-il à la télé par jour ? _____

c) Pendant combien d'heures les membres de la famille Beauregard regardent-ils la télé le mardi ? _____

Exercices

3. Calcule la moyenne arithmétique de chacun des ensembles de nombres, puis arrondis ta réponse au dixième près.

a) 7,5 – 8,9 – 6,4 – 5,7 – 9,1 – 6,8 – 8,2 – 7,3   Moyenne arithmétique : _____

b) 27 – 31 – 29 – 44 – 35 – 66 – 32 – 29   Moyenne arithmétique : _____

c) 96 – 82 – 77 – 85 – 60   Moyenne arithmétique : _____

d) 563 – 580 – 532 – 564 – 579 – 581   Moyenne arithmétique : _____

e) 1,96 – 1,57 – 1,36 – 1,48   Moyenne arithmétique : _____

f) 87,54 – 90,03 – 64,8 – 74,63   Moyenne arithmétique : _____

4. Dans le monde, on pratique plusieurs sports différents. À l'occasion d'une conférence internationale, on a réalisé un sondage auprès de 500 participants. Observe le diagramme circulaire, puis réponds aux questions.

Pourcentage de personnes interrogées

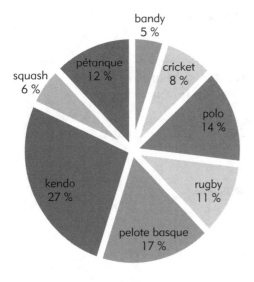

a) Combien de participants pratiquent le rugby ?

_____

b) Combien de participants pratiquent le cricket ?

_____

c) Combien de participants ne pratiquent ni la pelote basque ni la pétanque ?

_____

d) Combien de participants de plus pratiquent le kendo en comparaison avec le squash ?

_____

e) Combien de participants de moins pratiquent le bandy en comparaison avec le polo ?

_____

Exercices

5. Tous les cinq ans, Statistique Canada procède au recensement de la population du pays. Observe le tableau, puis réponds aux questions.

	Groupes d'âge		
	0 à 14 ans	15 à 64 ans	65 ans et plus
Canada	5 579 835	21 697 805	4 335 255
Terre-Neuve-et-Labrador	78 230	356 975	70 265
Île-du-Prince-Édouard	23 985	91 685	20 185
Nouvelle-Écosse	146 435	628 815	138 210
Nouveau-Brunswick	118 255	504 110	107 635
Québec	1 252 510	5 213 335	1 080 285
Ontario	2 210 800	8 300 300	1 649 180
Manitoba	225 175	761 340	161 890
Saskatchewan	187 695	631 155	149 305
Alberta	631 515	2 305 425	353 410
Colombie-Britannique	679 605	2 834 075	599 810
Territoire du Yukon	5720	22 365	2290
Territoires du Nord-Ouest	9920	29 570	1975
Nunavut	10 000	18 660	810

Données provenant du site Internet http://www.statcan.ca

a) Combien d'habitants âgés de 15 à 64 ans comptait-on en moins
   au Territoire du Yukon comparativement à Terre-Neuve-et-Labrador ?   _____

b) Combien d'habitants âgés de 0 à 14 ans comptait-on en plus
   en Colombie-Britannique comparativement à la Saskatchewan ?   _____

c) Quelle était la population totale du Nouveau-Brunswick ?   _____

d) Quelle était la population totale du Nunavut ?   _____

e) Combien d'habitants âgés de 65 ans et plus comptait-on
   dans les provinces de l'Atlantique (Terre-Neuve-et-Labrador,
   Île-du-Prince-Édouard, Nouvelle-Écosse et Nouveau-Brunswick) ?   _____

Exercices

1. **Le lancer du javelot est un sport d'athlétisme qui fut en compétition aux Jeux olympiques la première fois en 1908 à Londres, au Royaume-Uni. Le record du monde est de 94,48 mètres et appartient au Tchèque Jan Zelezny. Observe le tableau des résultats obtenus lors d'une compétition régionale, puis réponds aux questions.**

	Lancer 1	Lancer 2	Lancer 3	Lancer 4
Participant A	84,6 m	83,56 m	88,04 m	86,38 m
Participant B	85,82 m	86,9 m	87,11 m	87,26 m
Participant C	83,49 m	84,37 m	82,94 m	84,5 m
Participant D	90,05 m	89,78 m	89,67 m	89,56 m
Participant E	88,7 m	89,93 m	90,2 m	90,27 m

a) Quels sont les deux participants qui sont arrivés le plus près du record
   selon leurs résultats ?   _____

b) Quel lancer a été le moins bon ?   _____

c) Quelle est la distance moyenne pour un lancer du participant B ?   _____
   (Au décimètre près.)

d) Quelle est la distance moyenne pour le 2ᵉ lancer,
   tous participants confondus ?   _____
   (Au centimètre près.)

2. **Au Grand Prix de Monaco en Formule 1, les coureurs atteignent souvent des vitesses de pointe frôlant les 400 km/h. Observe le diagramme à ligne brisée, puis réponds aux questions.**

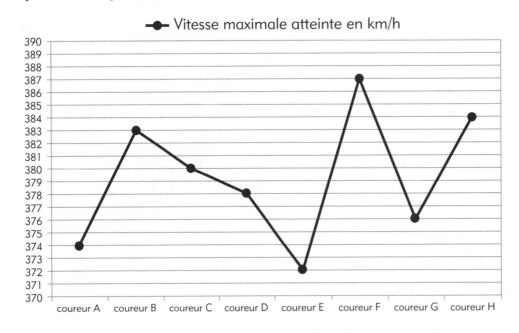

a) Quel coureur a atteint la plus haute vitesse de pointe ?   _____

b) Quelle était la vitesse de pointe moyenne pour cette course ?   _____

c) Quel coureur était le plus près de la moyenne ?   _____

3. La mère de Roxane a un horaire très chargé. Observe le diagramme circulaire, puis réponds aux questions.

Nombre d'heures par activité par jour

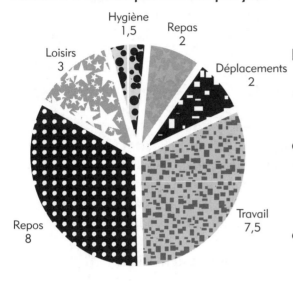

a) Combien d'heures par semaine la mère de Roxane passe-t-elle à manger?

_____

b) Combien d'heures par année la mère de Roxane passe-t-elle à dormir?

_____

c) Combien d'heures la mère de Roxane passe-t-elle à se laver en juillet?

_____

d) Quel pourcentage d'une journée la mère de Roxane passe-t-elle à s'amuser?

_____

4. Yvette a comparé les prix de divers articles dans six épiceries différentes. Observe le tableau, puis réponds aux questions.

	Épicerie A	Épicerie B	Épicerie C	Épicerie D	Épicerie E	Épicerie F
ananas	3,79 $	2,99 $	3,29 $	3,99 $	4,19 $	3,25 $
fromage	5,90 $	4,45 $	4,99 $	6,25 $	6,50 $	4,99 $
jambon	6,25 $	5,75 $	7,00 $	6,95 $	6,00 $	6,35 $
crevettes	12,39 $	10,74 $	11,99 $	12,25 $	14,70 $	13,88 $
macaroni	1,29 $	1,19 $	0,99 $	1,59 $	1,35 $	1,49 $
soupe	1,19 $	1,29 $	0,99 $	1,69 $	0,99 $	1,39 $

a) À combien s'élève la facture à l'épicerie E? _____

b) À quelle épicerie vend-on généralement les articles le moins cher? _____

c) Quel est le prix moyen du fromage? (Au cent près.) _____

d) Quel est le prix moyen des crevettes? (Au dollar près.) _____

Test

1. **Lors d'un sondage effectué auprès de la population et portant sur les passe-temps et les loisirs, on a interrogé 64 personnes. Complète le diagramme circulaire à partir des résultats obtenus, et ce, en coloriant les pointes selon la légende et en y inscrivant le pourcentage arrondi à l'unité. Tu peux utiliser l'encadré situé tout en bas pour effectuer tes calculs.**

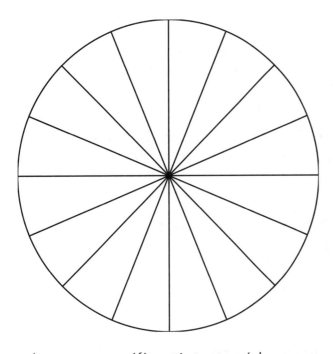

Légende

Bleu : lire le journal
Rouge : jouer aux échecs
Jaune : regarder la télévision
Vert : promener son chien
Mauve : faire des mots croisés
Orangé : pratiquer le yoga
Rose : jardiner
Brun : écouter de la musique

4 personnes préfèrent jouer aux échecs

8 personnes préfèrent promener leur chien

4 personnes préfèrent lire le journal

16 personnes préfèrent faire des mots croisés

12 personnes préfèrent écouter de la musique

8 personnes préfèrent regarder la télévision

8 personnes préfèrent jardiner

4 personnes préfèrent pratiquer le yoga

Calculs

Exercices

2. Brigitte et Lionel font appel à une agence de voyages pour organiser leurs vacances hivernales. Complète le tableau des températures moyennes pour quelques villes du monde, et ce, à partir des indices, puis réponds aux questions.

	janvier	avril	juillet	octobre
Athènes, Grèce	12 °C	19 °C		23 °C
Dublin, Irlande		12 °C	19 °C	14 °C
Helsinki, Finlande	– 2 °C	6 °C	22 °C	
Istanbul, Turquie	9 °C	15 °C	26 °C	
Nairobi, Kenya	25 °C		21 °C	25 °C
Prague, République tchèque	1 °C	13 °C		12 °C
San José, Costa Rica	24 °C		25 °C	25 °C
Zurich, Suisse		16 °C	25 °C	14 °C

– En juillet, à Prague, il fait 3 °C de moins qu'à Istanbul.
– En janvier, à Zurich, il fait 6 fois moins chaud qu'à Athènes.
– En avril, à Nairobi, la température est le double de celle de Dublin.
– En octobre, à Helsinki, il fait 2 fois moins chaud qu'à Zurich.
– En juillet, à Athènes, il fait 7 °C de plus qu'à San José.
– En janvier, à Dublin, il fait 17 °C de moins qu'à Nairobi.
– En avril, à San José, la température est le double de celle de Prague.
– En octobre, à Istanbul, il fait la même température qu'en avril à Athènes.

a) Quelle est la température annuelle moyenne à Helsinki ? Arrondis à l'unité près.

_____

b) Quelle est la température annuelle moyenne à Prague ? Arrondis à l'unité près.

_____

c) Quelle ville est la plus froide et à quel moment de l'année ?

_____

d) Quelle ville est la plus chaude et à quel moment de l'année ?

_____

e) Dans une année, quelle ville subit les moins grands écarts de température ?

_____

40
35
30
25
20
15
10
5
0
–5
–10
–15
–20
–25
–30
–35

Exercices

3. Durant l'adolescence, les garçons et les filles grandissent rapidement. Trace le diagramme à ligne brisée à partir des indices, puis réponds aux questions. Attention aux unités de mesure.

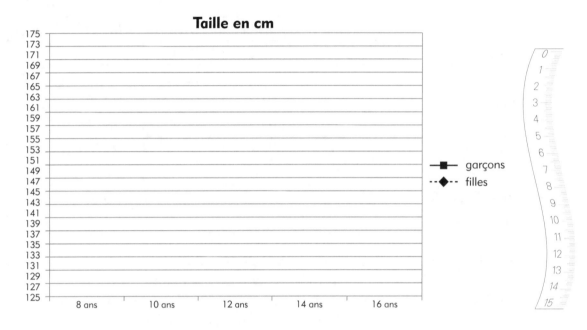

Taille en cm

- À 12 ans, les garçons mesurent en moyenne 150 cm.
- À 14 ans, les filles mesurent en moyenne 160 cm.
- À 8 ans, les filles mesurent en moyenne 127 cm, tout comme les garçons.
- À 10 ans, les garçons mesurent en moyenne 11 cm de moins qu'à 12 ans.
- À 16 ans, les filles mesurent en moyenne 36 cm de plus qu'à 8 ans.
- À 10 ans, les filles mesurent en moyenne 1,38 m.
- À 12 ans, les filles mesurent en moyenne 13 cm de plus qu'à 10 ans.
- À 14 ans, les garçons mesurent en moyenne 5 cm de plus que les filles.
- À 16 ans, les garçons mesurent en moyenne 11 cm de plus que les filles.

a) De combien de centimètres augmente la taille d'un garçon entre 8 et 16 ans?

_____

b) En moyenne, de combien de centimètres augmente la taille d'un garçon chaque année entre 8 et 16 ans?

_____

c) De combien de centimètres peut augmenter la taille d'une fille entre 8 et 16 ans?

_____

d) En moyenne, de combien de centimètres augmente la taille d'une fille chaque année entre 8 et 16 ans?

_____

Exercices

1. **L'autre jour, Heidi s'est rendue au bar laitier pour déguster une coupe glacée. Le bar laitier propose 6 garnitures : caramel, chocolat, érable, fraises, ananas et arachides. Heidi commande une coupe glacée au chocolat et aux arachides. La serveuse écrit la commande dans un calepin — une coupe glacée avec 2 garnitures —, mais elle oublie de spécifier les types de garnitures. Le glacier qui prépare la coupe glacée d'Heidi décide de mettre 2 garnitures au hasard.**

   a) Construis le tableau de toutes les combinaisons possibles de 2 garnitures différentes dans l'encadré ci-dessous.

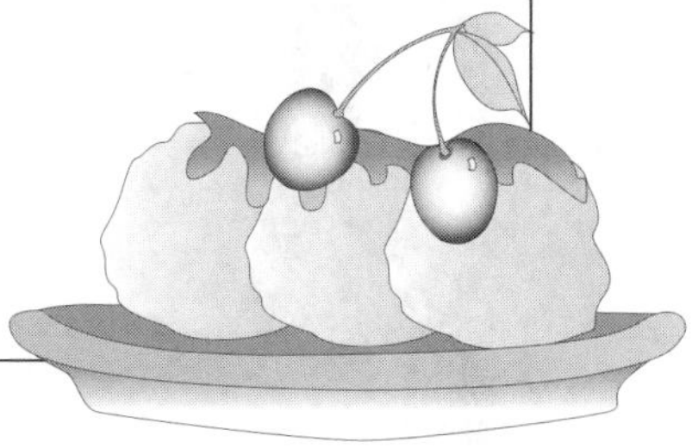

   b) Quelle est la probabilité qu'Heidi obtienne une coupe glacée au chocolat et aux arachides ?

   _____

   _____

   c) Heidi aime toutes les garnitures, sauf les ananas. Quelle est la probabilité qu'elle ne mange pas la coupe glacée qu'on lui remette ?

   _____

   _____

Test

1. **Au bistro, un serveur transporte un plateau sur lequel on trouve les couverts suivants : une assiette, une soucoupe, un bol, une tasse, une fourchette, une cuiller et un couteau. En voulant passer des cuisines à la salle à manger, le serveur trébuche sur le seuil de la porte et 3 des couverts tombent au sol.**

a) Énumère toutes les combinaisons possibles dans l'encadré ci-dessous.

b) Quelle est la probabilité que le serveur brise seulement une pièce de vaisselle ?

_____

_____

c) Quelle est la probabilité que le serveur n'ait qu'à rincer les ustensiles ?

_____

_____

Exercices

2. Lors des championnats mondiaux, 5 coureurs s'affrontent aux 100 m haie : un Italien, un Chilien, un Canadien, un Koweïtien et un Zaïrois.

a) Complète le tableau de toutes les combinaisons possibles en tenant compte du fait que le Canadien arrivera 4e.

1re position	2e position	3e position	4e position	5e position
			Canadien	
			Canadien	
			Canadien	
			Canadien	
			Canadien	
			Canadien	
			Canadien	
			Canadien	
			Canadien	
			Canadien	
			Canadien	
			Canadien	
			Canadien	
			Canadien	
			Canadien	
			Canadien	
			Canadien	
			Canadien	
			Canadien	
			Canadien	
			Canadien	
			Canadien	
			Canadien	
			Canadien	

b) Quelle est la probabilité que le Koweïtien remporte la médaille d'or ?

_____

c) Quelle est la probabilité que le Zaïrois remporte l'une ou l'autre des médailles (or, argent ou bronze)?

_____

Exercices

1. Chaque jour, des milliers de personnes passent dans les tourniquets du métro. Entre 22 h et 22 h 30, seulement 4 personnes y sont passées.

a) Construis le diagramme en arbre de toutes les combinaisons possibles dans l'encadré ci-dessous, et ce, en considérant que chaque personne peut être un garçon ou une fille.

b) Quelle est la probabilité que les 4 personnes soient toutes des filles ?

_____

_____

c) Quelle est la probabilité que les 4 personnes soient 2 garçons et 2 filles ?

_____

_____

Test

1. **Sacha a inventé un nouveau jeu basé sur les échecs. Parmi les règles à respecter, on doit déplacer son pion une case à la fois et seulement en direction des 4 points cardinaux, et ce, sans jamais repasser par la même case. Observe la planche de jeu et réponds aux questions.**

1	2	3	4	5
6	7	8	9	10
11	12	13	14	15
16	17	18	19	20
21	22	23	24	25

a) Décris 10 parcours différents pour se rendre de la case 11 à la case 24.

   i. _____

   ii. _____

   iii. _____

   iv. _____

   v. _____

   vi. _____

   vii. _____

   viii. _____

   ix. _____

   x. _____

b) Décris 10 parcours différents pour se rendre de la case 8 à la case 9.

   i. _____

   ii. _____

   iii. _____

   iv. _____

   v. _____

   vi. _____

   vii. _____

   viii. _____

   ix. _____

   x. _____

Exercices

2. Dans un restaurant huppé, le chef propose à ses clients de se composer un repas de 4 services à partir des plats mentionnés dans le menu à la carte. Observe le contenu du menu, puis réponds aux questions.

Hors-d'œuvre	Entrées	Plats principaux	Desserts
Champignons farcis	Salade verte	Poulet à la moutarde	Crème brûlée
Escargots à l'ail	Salade César	Canard à l'orange	Baba au rhum
Saumon fumé	Potage parmentier	Caille à l'origan	Profiteroles
Gratin de légumes	Gaspacho	Agneau au safran	Tarte aux amandes

a) Dans l'encadré ci-dessous, énumère toutes les combinaisons possibles de repas ayant pour hors-d'œuvre le gratin de légumes et pour dessert le baba au rhum.

b) Dans les combinaisons que tu as énumérées, quelle est la probabilité qu'un client commande une salade en entrée ?

_____

c) Dans les combinaisons que tu as énumérées, quelle est la probabilité qu'un client commande de la volaille en plat principal ?

_____

Exercices

CORRIGÉ

TEST 1
Page 7

1. *Pour écrire les nombres en toutes lettres, on doit les décomposer en centaines de mille, en dizaines/unités de mille, en centaines et en dizaines/unités. Par exemple : 342 786 = 300 000 + 42 000 + 700 + 86 = trois cent mille + quarante-deux mille + sept cents + quatre-vingt-six.*
   Les nombres composés inférieurs à 100 qui ne se terminent pas par 1, sauf 81 et 91, prennent un trait d'union (p. ex. : quatre-vingt-dix-huit); les nombres composés supérieurs à 100 ne prennent pas de trait d'union, sauf leur partie comprise entre 1 et 99 (p. ex. : cinq mille six cent cinquante-quatre); on ajoute «et» lorsqu'un nombre se termine par 1, sauf 81 et 91 (p. ex. : soixante et un); les nombres 20 et 100 prennent la marque du pluriel lorsqu'ils sont multipliés et qu'ils ne sont pas suivis d'un autre nombre (p. ex. : quatre-vingts, quatre-vingt-un, six cents, six cent un), sauf s'il s'agit de millier, million et milliard (p. ex. : quatre-vingts mille, sept cents millions), et le nombre 1 000 est toujours invariable (p. ex. : trente-trois mille).
   a) quarante mille cinquante-quatre
   b) soixante-dix-neuf mille deux cent trente-cinq
   c) trois cent quarante-deux mille sept cent quatre-vingt-six
   d) neuf cent quatre-vingt-dix-sept mille soixante-treize
   e) deux cent trente mille huit cent quatre-vingt-douze
   f) sept cent soixante-dix-sept mille quatre cent quarante-quatre

2. *Avant de comparer les nombres, on doit convertir ceux qui sont accompagnés d'exposants. Par exemple : $5^3 = 5 \times 5 \times 5 = 125$. Le symbole < signifie «est plus petit que». Le symbole > signifie «est plus grand que». Le symbole = signifie «est égal à».*
   a) < b) > c) = d) > e) > f) < g) < h) >

3. *Pour trouver la valeur de position d'un chiffre dans un nombre, on élimine les chiffres qui précèdent et remplace les chiffres qui suivent par des 0.*
   a) 400 b) 9000 c) 48 000 d) 280 e) 7340 f) 200 000 g) 24 380 h) 10

4. *L'ordre décroissant consiste à placer les nombres du plus grand au plus petit en tenant compte (dans l'ordre) des centaines de mille, des dizaines de mille, des unités de mille, des centaines, des dizaines et des unités.*
   998 755, 957 895, 955 789, 855 979, 759 859,
   598 957, 597 895, 578 959, 578 599, 89 975, 87 599,
   85 979, 85 795, 79 589, 78 995

Page 8

5. *Pour compléter les suites, on effectue les bonds en respectant la règle. Par exemple : 62 716 – 5 = 62 711; 62711 – 5 = 62 706; 62706 – 5 = 62 701; 62 701 – 5 = 62 696; 62 696 – 5 = 62 691*
   a) 62 711, 62 706, 62 701, 62 696, 62 691
   b) 29 959, 29 970, 29 981, 29 992, 30 003
   c) 354 019, 354 011, 354 003, 353 995, 353 987
   d) 591 683, 591 677, 591 681, 591 675, 591 679
   e) 89 998, 90 005, 90 003, 90 010, 90 008
   f) 705 075, 705 065, 705 085, 705 075, 705 095

6. *Les nombres pairs se terminent par 0, 2, 4, 6 et 8. La position des dizaines de mille correspond au 5e chiffre du nombre en partant de la droite vers la gauche. Les nombres impairs se terminent par 1, 3, 5, 7 et 9. La position des unités correspond au 1er chiffre de droite.*
   Nombres encerclés : 246 754, 900 000, 285 892, 386 494
   Nombres soulignés : 781 541, 285 892, 386 494
   Nombres tracés d'un X : 805 479, 453 267, 124 893,
   781 541, 352 179, 649 753
   Nombres encadrés : 124 893, 649 753

7. *Pour transformer les nombres en chiffres arabes lorsqu'ils sont écrits en chiffres romains, on décompose d'abord le nombre. Puis on part des nombres de base (I = 1, V = 5, X = 10, L = 50, C = 100, D = 500 et M = 1000) en additionnant (lorsque le symbole est placé après) ou en soustrayant (lorsque le symbole est placé avant).*
   a) 500 + 100 + 50 + 5 + 1 = 656
   b) 100 + 100 + (50 – 10) + 1 + 1 + 1 = 243
   c) (500 – 100) + (100 – 10) + (10 – 1) = 499
   d) 50 + 10 + 10 + 10 + 5 = 85
   e) 100 + 100 + 100 + 50 + 10 + 10 + 10 + (5 – 1) = 384
   f) 1000 + (50 – 10) + 5 + 1 + 1 + 1 = 1048

8. *Un nombre à la puissance 0 donne toujours 1. Un nombre à la puissance 1 reste pareil.*

a)	1	1	$1 \times 1 = 1$	$1 \times 1 \times 1 = 1$	$1 \times 1 \times 1 \times 1 = 1$
b)	1	2	$2 \times 2 = 4$	$2 \times 2 \times 2 = 8$	$2 \times 2 \times 2 \times 2 = 16$
c)	1	3	$3 \times 3 = 9$	$3 \times 3 \times 3 = 27$	$3 \times 3 \times 3 \times 3 = 81$
d)	1	4	$4 \times 4 = 16$	$4 \times 4 \times 4 = 64$	$4 \times 4 \times 4 \times 4 = 256$
e)	1	5	$5 \times 5 = 25$	$5 \times 5 \times 5 = 125$	$5 \times 5 \times 5 \times 5 = 625$
f)	1	6	$6 \times 6 = 36$	$6 \times 6 \times 6 = 216$	$6 \times 6 \times 6 \times 6 = 1296$

Page 9

1. *Pour écrire les nombres en chiffres, on sépare les milliers, les centaines et les dizaines-unités, puis on additionne les nombres obtenus :*
   a) six cent trente-deux mille / cinq cents / cinquante et un = 632 551
   b) soixante-dix-huit mille / vingt-quatre = 78 024
   c) cinq cent six mille / deux cents / quatre-vingt-dix-sept = 506 297
   d) neuf cent soixante-trois mille / neuf cent / seize = 963 916
   e) soixante et onze mille / quatorze = 71 014
   f) huit cent quinze mille / quatre cents / quarante-huit = 815 448

2. *On biffe tous les nombres qui ont un 5 à la position des centaines : 331 526, 685 536, 711 539, 243 519, 396 543 et 527 536. On biffe tous les nombres qui sont plus petits que 207 950 : 171 396, 91 985, 186 434, 204 755, 198 296, 206 995, 205 487, 88 087, 199 756, 207 949 et 206 199. On biffe tous les nombres qui commencent et se terminent par le même chiffre : 775 727, 312 373, 400 034 et 538 985. On biffe tous les nombres qui ont un 4 à la position des centaines de mille : 412 368, 488 855, 492 087, 400 662, 448 905, 495 637, 495 167, 479 653, 423 351, 470 753, 409 255, 499 662 et 415 760. On biffe tous les nombres plus grands que 796 600 : 894 264, 905 741, 923 954, 911 236, 796 601, 802 223, 964 756, 799 802, 978 040, 945 662 et 990 900. On biffe tous les nombres qui contiennent 4 fois le même chiffre : 333 398, 291 999, 322 922, 580 888, 310 111, 266 664, 355 455 et 644 449. On biffe tous les nombres qui se situent entre 534 871 et 543 178 : 540 001, 535 247, 536 690, 541 899, 542 322 et 537 713. On biffe tous les nombres qui ont un 7 à la position des dizaines : 207 974, 218 375, 207 977 et 700 071.*
   L'odomètre de l'automobile des parents de Sarah indique 207 951 km.

Page 10

3. *On replace les termes de l'addition dans l'ordre suivant pour recomposer chaque nombre : centaines de mille + dizaines de mille + unités de mille + centaines + dizaines + unités.*
   a) 365 478 b) 182 392 c) 946 789 d) 603 947 e) 590 804
   f) 807 036 g) 290 300

4. *On calcule la différence entre les nombres qui se suivent pour trouver la règle. Si le nombre qui précède est plus grand, la règle est la soustraction, et si le nombre qui précède est plus petit, la règle est l'addition :*
   a) 25 338, 25 342, 25 346, 25 350   règle : + 4
   25 330 – 25 326 = 4   25 334 – 25 330 = 4

   b) 83 264, 83 259, 83 254, 83 249   règle : – 5
   83 279 – 83 274 = 5   83 274 – 83 269 = 5

   c) 17 105, 17 145, 17 195, 18 255
   règle : + 10, + 20, + 30, + 40, + 50, + 60
   16 055 – 16 045 = 10   16 075 – 16 055 = 20

   d) 74 857, 74 853, 74 848, 74 842
   règle : – 1, – 2, – 3, – 4, – 5, – 6
   74 863 – 74 862 = 1   74 862 – 74 860 = 2

   e) 52 710, 52 706, 52 709, 52 705   règle : + 3, – 4
   52 7011 – 52 708 = 3   52 711 – 52 707 = 4

   f) 632 167, 632 158, 632 149, 632 140   règle : – 9
   632 194 – 632 185 = 9   632 185 – 632 176 = 9

   g) 498 053, 498 064, 498 075, 498 086 règle : + 11
   498 031 – 498 020 = 11   498 042 – 498 031 = 11

5. *La puissance d'un nombre s'obtient en multipliant ce nombre, la base, par lui-même un certain nombre de fois, l'exposant. Par exemple: 2 x 2 x 2 = 2^3. Lorsqu'un nombre n'est pas multiplié par lui-même, par défaut son exposant est 1.*
a) 2^3 b) 6^2 c) 3^6 d) 9^4 e) 8^5 f) 5^7 g) 4^1 h) 7^3

Page 11

6. *Pour transformer un nombre exprimé sous forme de puissance, on multiplie le nombre de base par lui-même le nombre de fois indiqué par l'exposant.*
a) $10^3 = 10 \times 10 \times 10 = 1000$
b) $5^4 = 5 \times 5 \times 5 \times 5 = 625$
c) $7^2 = 7 \times 7 = 49$
d) $4^3 = 4 \times 4 \times 4 = 64$
e) $3^5 = 3 \times 3 \times 3 \times 3 \times 3 = 243$
f) $6^4 = 6 \times 6 \times 6 \times 6 = 1296$

7. *L'ordre croissant consiste à placer les nombres du plus petit au plus grand. Avant de procéder, on doit trouver la valeur de chaque nombre.*
$7^4 = 7 \times 7 \times 7 \times 7 = 2401$
500 + 30 + 2000 = 2530
3 u de mille + 7 c + 8 d = 3780
$9^3 = 9 \times 9 \times 9 = 729$
2639
3296
$15^3 = 15 \times 15 \times 15 = 3375$
200 + 3000 + 8 + 70 = 3 278
3629
2 u de mille + 9 c + 5 u = 2905
729, 2401, 2530, 2639, 2905, 3278, 3296, 3375, 3629, 3780

8. *Les nombres impairs se terminent par 1, 3, 5, 7 ou 9.*
752 079, 752 081, 752 083, 752 085, 752 087,
752 089, 752 091, 752 093, 752 095, 752 097,
752 099, 752 101, 752 103, 752 105, 752 107, 752 109

9. *Pour écrire les nombres en chiffres romains, on décompose d'abord le nombre. Puis on utilise les nombres de base (I, V, X, L, C, D et M) en additionnant (en plaçant le symbole après) ou en soustrayant (en plaçant le symbole avant), en utilisant le même symbole pas plus de 3 fois.*
a) 548 = 500 + 40 + 8
   D + XL (50 – 10) + VIII (5 + 1 + 1 + 1) = DXLVIII
b) 981 = 900 + 80 + 1
   CM (1000 – 100) + LXXX (50 + 10 + 10 + 10) + I = CMLXXXI
c) 1325 = 1000 + 300 + 20 + 5
   M + CCC (100 + 100 + 100) + XX (10 + 10) + V = MCCCXXV
d) 764 = 700 + 60 + 4
   DCC (500 + 100 + 100) + LX (50 + 10) + IV (5 – 1) = DCCLXIV
e) 2050 = 2000 + 50 = MM (1000 + 1000) + L = MML
f) 3633 = 3000 + 600 + 30 + 3
   MMM (1000 + 1000 + 1000) + DC (500 + 100) + XXX (10 + 10 + 10) + III (1 + 1 + 1) = MMMDCXXXIII
g) 819 = 800 + 10 + 9
   DCCC (500 + 100 + 100 + 100) + X + IX (10 – 1) = DCCCXIX
h) 1111 = 1000 = 100 + 10 + 1
   M + C + X + I = MCXI

Page 12

10. *L'ordre croissant consiste à placer les nombres du plus petit au plus grand. Avant de relier les nombres, on doit trouver leur valeur.*
$2^3 = 8$
$3^2 = 9$
XII = 12
$4^2 = 16$
20 + 5 = 25
3 dizaines = 30
$2^5 = 32$
40 = 40
$7^2 = 49$
L = 50
L'astérie est une étoile de mer.

TEST 1.1
Page 13

1. *Pour décomposer un nombre, on doit représenter la somme de ses termes en base 10 (en d'autres mots, séparer les centaines de mille, les dizaines de mille, les unités de mille, les centaines, les dizaines et les unités).*
a) 30 000 + 4000 + 700 + 50 + 2
   3 d de mille + 4 u de mille + 7 c + 5 d + 2 u
b) 50 000 + 9000 + 800 + 70 + 3
   5 d de mille + 9 u de mille + 8 c + 7 d + 3 u
c) 90 000 + 600 + 7
   9 d de mille + 6 c + 7 u
d) 100 000 + 80 000 + 2000 + 300 + 60 + 5
   1 c de mille + 8 d de mille + 2 u de mille + 3 c + 6 d + 5 u
e) 400 000 + 70 000 + 6000 + 900 + 30 + 1
   4 c de mille + 7 d de mille + 6 u de mille + 9 c + 3 d + 1 u
f) 600 000 + 2000 + 300 + 70
   6 c de mille + 2 u de mille + 3 c + 7 d

2. *Avant de placer les nombres sur la droite numérique, on doit trouver leur valeur.*
$2^2 = 4$ 15 = 15 $3^3 = 27$ 29 = 29 $5^2 = 25$
$9^1 = 9$ 12 = 12 $10^0 = 1$ $4^2 = 16$ 8 = 8

0 10^0 2^2 8 9^1 12 15 4^2 5^2 3^3 29 30

3. *Pour arrondir à la dizaine de mille près, on observe le chiffre qui se situe à la position des unités de mille, soit le 4e chiffre en partant de la droite vers la gauche. Si ce chiffre est égal à 0, 1, 2, 3 ou 4, le chiffre des dizaines de mille reste le même, et on remplace tous les chiffres qui suivent par des 0. Si ce chiffre est égal à 5, 6, 7, 8 ou 9, on ajoute 1 au chiffre des dizaines de mille, et l'on remplace tous les chiffres qui suivant par 0. Pour arrondir à l'unité de mille près, on observe le chiffre qui se situe à la position des centaines, soit le 3e chiffre en partant de la droite vers la gauche. Si ce chiffre est égal à 0, 1, 2, 3 ou 4, le chiffre des unités de mille reste le même, et on remplace tous les chiffres qui suivent par des 0. Si ce chiffre est égal à 5, 6, 7, 8 ou 9, on ajoute 1 au chiffre des unités de mille, et on remplace tous les chiffres qui suivent par des 0. Pour arrondir à la centaine près, on observe le chiffre qui se situe à la position des dizaines, soit le 2e chiffre en partant de la droite vers la gauche. Si ce chiffre est égal à 0, 1, 2, 3 ou 4, le chiffre des centaines reste le même, et on remplace tous les chiffres qui suivent par des 0. Si ce chiffre est égal à 5, 6, 7, 8 ou 9, on ajoute 1 au chiffre des centaines, et on remplace tous les chiffres qui suivent par 0.*
a) 50 000, 54 000, 54 300   b) 80 000, 77 000, 76 900
c) 310 000, 307 000, 307 300 d) 580 000, 582 000, 581 900
e) 620 000, 624 000, 623 800

Page 14

1. *Pour trouver ce qui manque afin de compléter les égalités, on recompose d'abord les nombres en mettant les termes dans l'ordre suivant: centaines de mille, dizaines de mille, unités de mille, centaines, dizaines et unités. On compare ensuite le nombre à sa recomposition pour trouver le chiffre du nombre qui n'a pas été décomposé.*
a) 9000 b) 6000 + 400 c) 800 000 + 60 + 2 d) 40 000 + 700 + 20
e) 5 d f) 6 c de mille + 1 u de mille g) 9 c de mille + 2 d de mille + 6 d h) 7 c de mille + 5 u de mille + 9 u

2. a) $5 \times 5 \times 5 = 125$ b) $3 \times 3 \times 3 \times 3 = 81$ c) $2 \times 2 \times 2 \times 2 \times 2 = 32$
d) $7 \times 7 \times 7 = 343$ e) $6 \times 6 \times 6 = 216$ f) $4 \times 4 \times 4 \times 4 = 256$
g) $8 \times 8 \times 8 \times 8 = 4096$ h) $9 \times 9 \times 9 = 729$

Page 15

3. *Pour arrondir à la centaine de mille près, on observe le chiffre qui se situe à la position des dizaines de mille, soit le 5e chiffre en partant de la droite vers la gauche. Si ce chiffre est égal à 0, 1, 2, 3 ou 4, le chiffre des centaines de mille reste le même, et on remplace tous les chiffres qui suivent par des 0. Si ce chiffre est égal à 5, 6, 7, 8 ou 9, on ajoute 1 au chiffre des centaines de mille, et on remplace tous les chiffres qui suivent par des 0.*

   Pour arrondir à l'unité de mille près, on observe le chiffre qui se situe à la position des centaines, soit le 3e chiffre en partant de la droite vers la gauche. Si ce chiffre est égal à 0, 1, 2, 3 ou 4, le chiffre des unités de mille reste le même, et on remplace tous les chiffres qui suivent par des 0. Si ce chiffre est égal à 5, 6, 7, 8 ou 9, on ajoute 1 au chiffre des unités de mille, et on remplace tous les chiffres qui suivent par des 0.

Pour arrondir à la dizaine près, on observe le chiffre qui se situe à la position des unités, soit le 1er chiffre en partant de la droite. Si ce chiffre est égal à 0, 1, 2, 3 ou 4, le chiffre des dizaines reste le même, et on remplace le chiffre qui suit par un 0. Si ce chiffre est égal à 5, 6, 7, 8 ou 9, on ajoute 1 au chiffre des dizaines, et on remplace le chiffre qui suit par un 0.

		À la centaine de mille près	À l'unité de mille près	À la dizaine près
a)	910 791	900 000	911 000	910 790
b)	777 444	800 000	777 000	777 440
c)	333 888	300 000	334 000	333 890
d)	207 852	200 000	208 000	207 850
e)	857 476	900 000	857 000	857 480
f)	428 335	400 000	428 000	428 340
g)	369 123	400 000	369 000	369 120
h)	616 479	600 000	616 000	616 480

4. a) *46 834 : Pour trouver le nombre total de dizaines, on biffe tous les chiffres qui suivent celui des dizaines (dans ce cas-ci, les unités) et on conserve les autres chiffres.*

b) *8 : Le chiffre des unités est à la 1re position en partant de la droite.*

c) *641 : Pour trouver le nombre total d'unités de mille, on biffe tous les chiffres qui suivent les unités de mille (dans ce cas-ci, les centaines, les dizaines et les unités) et on conserve les autres chiffres.*

d) *3 : Le chiffre des dizaines de mille est à la 5e position en partant de la droite vers la gauche.*

e) *2795 : Pour trouver le nombre total de centaines, on biffe tous les chiffres qui suivent les centaines (dans ce cas-ci, les dizaines et les unités) et on conserve les autres chiffres.*

f) *8 : Le chiffre des centaines est à la 3e position en partant de la droite vers la gauche.*

g) *111 111 : (10 x 10 x 10 x 10 x 10) + (10 x 10 x 10 x 10) + (10 x 10 x 10) + (10 x 10) + 10 + 1 =*
100 000 + 10 000 + 1 000 + 100 + 10 + 1 = 111 111

h) *25 480 : 25 000 + 480 = 25 480*

i) *761 932 : 760 000 + 1900 + 32 = 761 932*

j) *3347 : 40 + 3000 + 300 + 7 = 3 347*

Page 16

5. *Pour écrire les nombres en chiffres, on sépare les centaines de mille, les dizaines/unités de mille, les centaines et les dizaines/unités, puis on additionne les nombres obtenus (par exemple : deux mille + cinq cent + seize = 2000 + 500 + 16 = 2516. Pour écrire les nombres en chiffres romains, voir page 11, n° 9. Pour décomposer les nombres en base 10, voir page 13, n° 1.*

a) 2516	MMDXVI	2000 500 10 6	e) 754	DCCLIV	700 50 4
b) 1271	MCCLXXI	1000 200 70 1	f) 815	DCCCXV	800 10 5
c) 3999	MMMCMXCIX	3000 900 90 9	g) 1078	MLXXVIII	1000 70 8
d) 336	CCCXXXVI	300 30 6	h) 2462	MMCDLXII	2000 400 60 2

1. *Pour représenter chaque fraction, on colorie le nombre de parties indiqué par le numérateur (terme du haut) chaque fois qu'on compte le nombre de parties indiqué par le dénominateur (terme du bas). Par exemple, pour $\frac{7}{12}$, on doit colorier 7 parties chaque fois qu'on en compte 12. On doit colorier 14 parties sur 24.*

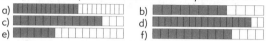

2. *Pour représenter chaque fraction, on encercle le nombre d'étoiles indiqué par le numérateur (terme du haut) chaque fois qu'on compte le nombre d'étoiles indiqué par le dénominateur (terme du bas). Par exemple, pour $\frac{2}{5}$, on doit encercler 2 étoiles chaque fois qu'on en compte 5. On encercle donc 4 étoiles sur 10.*
a) 4 étoiles b) 12 étoiles c) 3 étoiles d) 15 étoiles e) 10 étoiles f) 4 étoiles

3. *L'ordre croissant consiste à placer les nombres du plus petit au plus grand. On transforme d'abord chaque fraction afin que le dénominateur soit le plus petit commun multiple de tous les dénominateurs. Ici, il s'agit de 24. On multiplie le numérateur et le dénominateur par le nombre obtenu en divisant 24 par le dénominateur de la fraction originale.*

$$\frac{3}{8} \times \frac{3}{3} = \frac{9}{24} \qquad \frac{1}{2} \times \frac{12}{12} = \frac{12}{24} \qquad \frac{1}{3} \times \frac{8}{8} = \frac{8}{24}$$

$$\frac{3}{4} \times \frac{6}{6} = \frac{18}{24} \qquad \frac{11}{24} \qquad \frac{5}{6} \times \frac{4}{4} = \frac{20}{24} \qquad \frac{7}{8} \times \frac{3}{3} = \frac{21}{24}$$

$$\frac{1}{4} \times \frac{6}{6} = \frac{6}{24} \qquad \frac{1}{6} \times \frac{4}{4} = \frac{4}{24} \qquad \frac{5}{12} \times \frac{2}{2} = \frac{10}{24}$$

$$\frac{1}{6} \quad \frac{1}{4} \quad \frac{1}{3} \quad \frac{3}{8} \quad \frac{5}{12} \quad \frac{11}{24} \quad \frac{1}{2} \quad \frac{3}{4} \quad \frac{5}{6} \quad \frac{7}{8}$$

4. *Avant de comparer deux fractions, on transforme d'abord chaque fraction afin que le dénominateur soit le plus petit commun multiple aux deux dénominateurs (voir numéro précédent).*
a) > b) > c) = d) > e) =
f) < g) < h) > i) <

Page 18

5. *Avant de placer les fractions sur la droite numérique, on transforme d'abord chaque fraction afin que le dénominateur soit le plus petit commun multiple aux deux dénominateurs (voir page 17, n° 3). Dans ce cas-ci, le plus petit commun multiple est 60 :*
$$\frac{3}{5} = \frac{36}{60}; \frac{27}{30} = \frac{54}{60}; \frac{2}{3} = \frac{40}{60}; \frac{1}{6} = \frac{10}{60}; \frac{2}{5} = \frac{24}{60}; \frac{7}{10} = \frac{42}{60}; \frac{5}{6} = \frac{50}{60};$$
$$\frac{9}{20} = \frac{27}{60}; \frac{1}{10} = \frac{6}{60}; \frac{3}{20} = \frac{9}{60}.$$

$$0 \quad \frac{1}{10} \; \frac{3}{20} \; \frac{1}{6} \qquad \frac{2}{5} \; \frac{9}{20} \qquad \frac{3}{5} \; \frac{2}{3} \; \frac{7}{10} \qquad \frac{5}{6} \; \frac{27}{30} \qquad 1$$

6. *Pour réduire une fraction à sa plus simple expression, on divise le numérateur et le dénominateur par leur plus grand commun diviseur. Lorsqu'on divise le numérateur et le dénominateur par 5, $\frac{10}{25}$ devient $\frac{2}{5}$.*

a) $\frac{2}{5}$ b) $\frac{1}{3}$ c) $\frac{1}{2}$ d) $\frac{1}{3}$ e) $\frac{2}{5}$

f) $\frac{1}{4}$ g) $\frac{3}{7}$ h) $\frac{5}{12}$ i) $\frac{2}{3}$

7. *Les fractions irréductibles ne peuvent être réduites davantage parce que leur numérateur et leur dénominateur ne comportent pas de plus grand commun diviseur. Lorsqu'on divise le numérateur et le dénominateur par 5, $\frac{5}{15}$ devient $\frac{1}{3}$; cette fraction est réductible. Pour $\frac{7}{13}$, on ne peut pas diviser le numérateur et le dénominateur par un même nombre; cette fraction est irréductible.*

$$\frac{5}{15} \quad \frac{7}{28} \quad \frac{10}{16} \quad \boxed{\frac{7}{13}} \quad \boxed{\frac{16}{25}}$$
$$\frac{14}{21} \quad \boxed{\frac{20}{33}} \quad \frac{6}{14} \quad \frac{18}{27} \quad \frac{35}{40}$$
$$\frac{19}{38} \quad \boxed{\frac{8}{19}} \quad \frac{12}{26} \quad \frac{11}{44} \quad \boxed{\frac{15}{43}}$$
$$\boxed{\frac{13}{100}} \quad \frac{20}{25} \quad \frac{4}{22} \quad \frac{24}{32} \quad \frac{6}{8}$$

8. *Avant de calculer le pourcentage de poissons restants, on addition-ne le nombre de poissons arrivés ou partis entre le lundi et le jeudi.*

lundi → 8 x 2 = 16 poissons 25 – 16 = 9 poissons
mardi → 9 + 10 = 19 poissons
mercredi → 4 x 3 = 12 poissons 19 – 12 = 7 poissons
jeudi → 7 + 5 poissons = 12 poissons

Pour calculer le pourcentage, on divise le nombre de poissons restants par le nombre de poissons qu'il y avait au départ
→ 12 ÷ 25 = 0,48.
Il reste 48 % de poissons.

Page 19

1. *Pour comparer les fractions entre elles, on colorie d'abord le nom-bre de parties indiqué par le numérateur (terme du haut) chaque fois qu'on compte le nombre de parties indiqué par le dénomi-nateur (terme du bas). Par exemple : pour $\frac{7}{12}$, chaque fois qu'on compte 12 parties, on doit en colorier 7 (on doit colorier 14 parties en tout). Le symbole < signifie «est plus petit que».*
Le symbole > signifie «est plus grand que». Le symbole = signifie «est égal à».

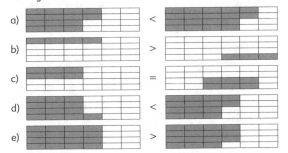

a) <
b) >
c) =
d) <
e) >

2. *Pour transformer les pourcentages en fractions irréductibles, on les convertit d'abord en fractions dont le dénominateur est 100. Voir ensuite page 18, n° 7.*

a) 48 ÷ 4 = 12   et   100 ÷ 4 = 25   → $\frac{12}{25}$

b) 75 ÷ 25 = 3   et   100 ÷ 25 = 4   → $\frac{3}{4}$

c) 25 ÷ 25 = 1   et   100 ÷ 25 = 4   → $\frac{1}{4}$

d) 10 ÷ 10 = 1   et   100 ÷ 10 = 10   → $\frac{1}{10}$

e) 36 ÷ 4 = 9   et   100 ÷ 4 = 25   → $\frac{9}{25}$

f) 40 ÷ 20 = 2   et   100 ÷ 20 = 5   → $\frac{2}{5}$

g) 60 ÷ 20 = 3   et   100 ÷ 20 = 5   → $\frac{3}{5}$

h) 80 ÷ 20 = 4   et   100 ÷ 20 = 5   → $\frac{4}{5}$

i) 55 ÷ 5 = 11   et   100 ÷ 5 = 20   → $\frac{11}{20}$

j) 70 ÷ 10 = 7   et   100 ÷ 10 = 10   → $\frac{7}{10}$

k) 32 ÷ 4 = 8   et   100 ÷ 4 = 25   → $\frac{8}{25}$

l) 12 ÷ 4 = 3   et   100 ÷ 4 = 25   → $\frac{3}{25}$

Page 20

3. *Pour trouver des fractions équivalentes, on multiplie le numérateur et le dénominateur de la fraction originale par le même nombre (par exemple : $\frac{2}{3}$ → 2 x 5 = 10 et 3 x 5 = 15 → $\frac{10}{15}$)*

a) $\frac{10}{15}$ b) $\frac{16}{28}$ c) $\frac{7}{14}$ d) $\frac{18}{24}$ e) $\frac{10}{12}$ f) $\frac{6}{27}$ g) $\frac{7}{21}$ h) $\frac{21}{30}$ i) $\frac{8}{18}$ j) $\frac{14}{35}$

4. *Pour transformer les fractions en pourcentages, on divise d'abord le numérateur par le dénominateur afin d'obtenir un nombre dé-cimal (par exemple : $\frac{47}{100}$ = 0,47). On transpose ensuite le nombre décimal en pourcentage en prenant les chiffres après la virgule et en les accompagnant du symbole % (par exemple : 0,47 = 47 %).*

a) 47 % b) 80 % c) 60 % d) 75 % e) 26 %
f) 45 % g) 44 % h) 15 % i) 25 %

5. *Les fractions inférieures à $\frac{1}{2}$ ont une valeur proche de 0. Les fractions supérieures à $\frac{1}{2}$ ont une valeur proche du 1. Pour savoir si une fraction est plus petite ou plus grande que $\frac{1}{2}$, on doit trouver les fractions équivalentes à $\frac{1}{2}$ en multipliant le numérateur et le dé-nominateur par le même nombre : x 2 ($\frac{2}{4}$), x 3 ($\frac{3}{6}$), x 4 ($\frac{4}{8}$), x 5 ($\frac{5}{10}$), x 6 ($\frac{6}{12}$), x 7 ($\frac{7}{14}$), x 8 ($\frac{8}{16}$), x 9 ($\frac{9}{18}$) et x 10 ($\frac{10}{20}$). On doit aussi trouver les fractions équivalentes à chaque fraction en cherchant le plus petit commun multiple des deux dénominateurs. Par exemple : $\frac{1}{2}$ = $\frac{3}{6}$ et $\frac{1}{3}$ = $\frac{2}{6}$ → $\frac{2}{6}$ est plus petit que $\frac{3}{6}$, alors $\frac{1}{3}$ est plus près du 0.*

a) 0 b) 1 c) 0 d) 0 e) 1 f) 0 g) 1 h) 0

Page 21

6. *Avant de comparer les fractions et les pourcentages, on convertit d'abord les fractions en pourcentage. Pour ce faire, on divise le numérateur par le dénominateur. Par exemple : $\frac{1}{3}$ → 1 ÷ 3 = 0,33333... → $\frac{33}{100}$ → 33 %. Le symbole < signifie «est plus petit que». Le symbole > signifie «est plus grand que». Le symbole = signifie «est égal à».*

a) 30 % < 33 %   b) 60 % = 60 %   c) 80 % > 75 %
d) 50 % < 55 %   e) 85 % < 90 %   f) 74 % < 75 %
g) 28 % > 25 %   h) 55 % = 55 %   i) 85 % > 80 %

7. *Avant de représenter chaque pourcentage de gâteau, on compte le nombre de morceaux de chaque gâteau. Par exemple, pour le premier gâteau, on compte 15 morceaux. On multiplie ensuite le nombre de morceaux par le pourcentage transformé en fraction. Par exemple, 20 % = $\frac{20}{100}$. Puisque la fraction représente une division, on multiplie par 20, puis on divise par 100. Par exemple : 15 x 20 ÷ 100 = 3 → on doit donc colorier 3 morceaux sur 15.*

a) 3 morceaux b) 2 morceaux c) 4 morceaux d) 9 morceaux
e) 8 morceaux f) 9 morceaux g) 18 morceaux h) 9 morceaux

TEST 2.1
Page 22

1. *Pour trouver le nombre de graines plantées par Catherine, on mul-tiplie le total des graines plantées par Émilie (45) par la fraction $\frac{3}{5}$. Puisque la fraction représente une division, on multiplie par 3, puis on divise par 5 → 45 x 3 ÷ 5 = 27 graines de concombre.*

2. *Pour trouver le nombre de voitures que Mathieu possède, on mul-tiplie le total des voitures de Paolo (60) par la fraction $\frac{2}{3}$. Puisque la fraction représente une division, on multiplie par 2, puis on divise par 3 → 60 x 2 ÷ 3 = 40 voitures miniatures.*

3. *Pour trouver le nombre de kilomètres que chaque équipe doit parcourir, on multiplie le trajet (100) par les fractions $\frac{1}{4}$ et $\frac{1}{5}$. Puisque la fraction représente une division, on multiplie par 1, puis on divise par 4 → 100 x 1 ÷ 4 = 25 km (membre de l'équipe A) et 100 x 1 ÷ 5 = 20 km (membre de l'équipe B).*

Page 23

1. a) 30 x 30 ÷ 100 =   900 ÷ 100 =   9
   b) 40 x 60 ÷ 100 =   2400 ÷ 100 =   24
   c) 75 x 72 ÷ 100 =   5400 ÷ 100 =   54
   d) 25 x 96 ÷ 100 =   2400 ÷ 100 =   24
   e) 15 x 500 ÷ 100 =   7500 ÷ 100 =   75
   f) 35 x 700 ÷ 100 =   24 500 ÷ 1000 = 245

2. *Pour trouver des fractions équivalentes, on multiplie le numérateur et le dénominateur par le même nombre.*
Par exemple : $\frac{3}{7}$ x $\frac{2}{2}$ = $\frac{6}{14}$; $\frac{3}{7}$ x $\frac{3}{3}$ = $\frac{9}{21}$; $\frac{3}{7}$ x $\frac{4}{4}$ = $\frac{12}{28}$; $\frac{3}{7}$ x $\frac{5}{5}$ = $\frac{15}{35}$; etc.

a) $\frac{6}{14}$ $\frac{9}{21}$ $\frac{12}{28}$ $\frac{15}{35}$ $\frac{18}{42}$ d) $\frac{6}{8}$ $\frac{9}{12}$ $\frac{12}{16}$ $\frac{15}{20}$ $\frac{18}{24}$

b) $\frac{4}{10}$ $\frac{6}{15}$ $\frac{8}{20}$ $\frac{10}{25}$ $\frac{12}{30}$ e) $\frac{14}{20}$ $\frac{21}{30}$ $\frac{28}{40}$ $\frac{35}{50}$ $\frac{42}{60}$

c) $\frac{2}{6}$ $\frac{3}{9}$ $\frac{4}{12}$ $\frac{5}{15}$ $\frac{6}{18}$ f) $\frac{8}{18}$ $\frac{12}{27}$ $\frac{16}{36}$ $\frac{20}{45}$ $\frac{24}{54}$

3. *Avant de colorier les cases, on résout d'abord chaque équation. Pour ce faire, on multiplie le numérateur de chaque fraction par le nombre obtenu en divisant le dénominateur commun (20) par le dénominateur de la fraction. Par exemple : $\frac{2}{5}$ → 20 ÷ 5 = 4 → 2 x 4 = 8 → $\frac{2}{5} = \frac{8}{20}$ et $\frac{1}{4}$ → 20 ÷ 4 = 5 → 1 x 5 = 5 → $\frac{1}{4} = \frac{5}{20}$. On additionne ensuite les deux fractions obtenues : $\frac{8}{20} + \frac{5}{20} = \frac{13}{20}$ → on doit colorier 13 cases sur 20.*
   a) 13 cases coloriées b) 16 cases coloriées c) 17 cases coloriées

Page 24

4. *Pour transformer une fraction en nombre fractionnaire, on divise d'abord le numérateur par le dénominateur ($\frac{11}{3}$ → 11 ÷ 3 = 3 reste 2). Le quotient devient le nombre entier et le reste devient le numérateur à placer au-dessus du dénominateur de départ (3 et $\frac{2}{3}$ = 3 $\frac{2}{3}$).*

   a) $5\frac{1}{2}$ b) $8\frac{2}{3}$ c) $1\frac{7}{8}$ d) $5\frac{2}{5}$ e) $7\frac{5}{9}$

   f) $8\frac{3}{4}$ g) $6\frac{9}{10}$ h) $7\frac{5}{7}$ i) $6\frac{1}{6}$

5. *Pour transformer un nombre fractionnaire en fraction, on multiplie d'abord le nombre entier par le dénominateur (3 $\frac{5}{8}$ → 3 x 8 = 24), puis on additionne le numérateur à ce produit (24 + 5 = 29). La somme obtenue devient le numérateur à placer au-dessus du dénominateur de départ ($\frac{29}{8}$).*

   a) $\frac{29}{8}$ b) $\frac{14}{3}$ c) $\frac{49}{5}$ d) $\frac{23}{10}$ e) $\frac{25}{4}$

   f) $\frac{47}{6}$ g) $\frac{17}{2}$ h) $\frac{17}{10}$ i) $\frac{50}{9}$

6. *Pour représenter chaque nombre fractionnaire, on colorie d'abord le nombre de rectangles indiqué par le nombre entier (4 $\frac{1}{4}$ → on colorie 4 rectangles). Ensuite, puisqu'un rectangle compte 24 cases, 24 devient le nouveau dénominateur. On doit donc transformer la fraction afin que son dénominateur soit 24. Pour ce faire, on multiplie le numérateur et le dénominateur par le même nombre ($\frac{1}{4} \times \frac{6}{6} = \frac{6}{24}$ → on colorie 6 cases sur 24 dans un rectangle).*
   a) Colorier 4 rectangles complets et 6 cases.
   b) Colorier 3 rectangles complets et 12 cases.
   c) Colorier 1 rectangle complet et 18 cases.
   d) Colorier 2 rectangles complets et 20 cases.
   e) Colorier 3 rectangles complets et 16 cases.

TEST 3
Page 25

1. *Pour décomposer les nombres décimaux, on doit trouver la valeur de chaque chiffre faisant partie du nombre, et ce, dans l'ordre suivant : centaine, dizaine, unité, dixième, centième et millième.*

   a) $400 + 60 + 8 + \frac{5}{10} + \frac{9}{100}$ et 4 centaines +
   6 dizaines + 8 unités + 5 dixièmes + 9 centièmes

   b) $30 + 5 + \frac{7}{10} + \frac{1}{100} + \frac{6}{1000}$ et 3 dizaines +
   5 unités + 7 dixièmes + 1 centième + 6 millièmes

   c) $800 + 90 + 5 + \frac{4}{100} + \frac{4}{1000}$ et 8 centaines +
   9 dizaines + 5 unités + 4 centièmes + 4 millièmes

   d) $600 + 10 + \frac{3}{10} + \frac{7}{100}$ et 6 centaines + 1 dizaine +
   3 dixièmes + 7 centièmes

   e) $90 + 2 + \frac{2}{10} + \frac{9}{100} + \frac{2}{1000}$ et 9 dizaines +
   2 unités + 2 dixièmes + 9 centièmes + 2 millièmes

2. *L'ordre croissant consiste à placer les nombres du plus petit au plus grand. Pour ce faire, on doit tenir compte des dizaines, des unités, des dixièmes, des centièmes et des millièmes. On peut utiliser le tableau suivant :*

dizaine	unité	dixième	centième	millième
4	7,	9	6	
	6,	9	7	4

Par exemple, on remarque que 6,974 précède 47,96.
4,697 – 4,796 – 6,794 – 6,974 – 7,469 – 7,649
47,96 – 49,67 – 64,79 – 69,74 – 74,69 – 76,94

3. *Pour comparer les nombres décimaux, on tient compte des centaines, des dizaines, des unités, des dixièmes, des centièmes et des millièmes. On peut utiliser ce tableau en remplaçant les dixièmes, centièmes et millièmes manquants par des 0 :*

centaine	dizaine	unité	dixième	centième	millième
	6	4,	5	9	0
	6	4,	5	8	7

Par exemple, on remarque que 64,590 est plus grand que 64,587. Le symbole < signifie «est plus petit que». Le symbole > signifie «est plus grand que». Le symbole = signifie «est égal à».
   a) > b) = c) < d) < e) < f) > g) < h) < i) > j) <

Page 26

4. *Pour transformer un nombre fractionnaire en nombre décimal, on divise le numérateur par le dénominateur. Par exemple : 7 $\frac{36}{1000}$ (36 ÷ 1000) = $\underline{7,036}$; 7 $\frac{9}{25}$ (9 ÷ 25) = $\underline{7,36}$; 7 $\frac{1}{3}$ (1 ÷ 3) = $\underline{7,333...}$*

   a) $7\frac{9}{25}$ b) $25\frac{1}{5}$ c) $9\frac{1}{25}$ d) $3\frac{11}{20}$ e) $6\frac{1}{125}$ f) $59\frac{16}{25}$

5.
9,5 = 9,5   9,02 > 9 < 9,1   9,25 > 9,2 < 9,3
9,8 = 9,8   9,990 > 9,9 < 10   9,75 > 9,7 < 9,8
9,85 > 9,8 < 9,9   9,06 > 9 < 9,1   9,1 = 9,1
9,050 > 0 et < 9,1

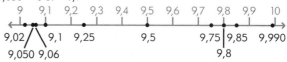

6. *Pour recomposer les nombres décimaux, on doit replacer les termes dans l'ordre suivant : centaines, dizaines, unités, dixièmes, centièmes et millièmes.*
   a) 985,76 b) 130,204 c) 3079,062 d) 481,527 e) 806,709
   f) 2450,37 g) 46,972 h) 793,542

Page 27

1. *Chaque carré est divisé en 10 colonnes et 10 rangées de cases, ce qui donne 100 cases. Chaque carré correspond à une unité. Chaque colonne ou rangée correspond à un dixième. Chaque case correspond à un centième. Par exemple, pour 3,17, on doit colorier 3 carrés, une colonne ou une rangée, et sept cases.*
   a) Colorier 3 carrés complets et 17 cases.
   b) Colorier 4 carrés complets et 8 cases.
   c) Colorier 2 carrés complets et 90 cases.
   d) Colorier 1 carré complet et 6 cases.
   e) Colorier 50 cases.
   f) Colorier 4 carrés complets et 32 cases.

Page 28

2. *L'ordre décroissant consiste à placer les nombres du plus grand au plus petit. On peut utiliser le tableau ci-dessous en remplaçant les dixièmes, centièmes et millièmes manquants par des 0 :*

centaine	dizaine	unité	dixième	centième	millième
	9	7,	3	2	0
2	3	9,	7	0	0

Par exemple, le nombre 97,32 suit le nombre 239,7 dans l'ordre décroissant.
   Le moyen de transport utilisé par la célébrité est l'hélicoptère.

Page 29

3. a) 57,08 – 0,08 = $\underline{57}$; 57 – 0,08 = $\underline{56,92}$; 56,92 – 0,08 = $\underline{56,84}$;
   56,84 – 0,08 = $\underline{56,76}$

   b) 4,05 + 0,15 = $\underline{4,2}$; 4,2 + 0,15 = $\underline{4,35}$; 4,35 + 0,15 = $\underline{4,5}$;
   4,5 + 0,15 = $\underline{4,65}$

   c) 71,37 – 0,03 = $\underline{71,34}$; 71,34 – 0,03 = $\underline{71,31}$;
   71,31 – 0,03 = $\underline{71,28}$; 71,28 – 0,03 = $\underline{71,25}$

   d) 8,092 + 0,002 = $\underline{8,094}$; 8,094 + 0,002 = $\underline{8,096}$;
   8,096 + 0,002 = $\underline{8,098}$; 8,098 + 0,002 = $\underline{8,1}$

   e) 19,38 – 0,05 = $\underline{19,33}$; 19,33 + 0,1 = $\underline{19,43}$;
   19,43 – 0,05 = $\underline{19,38}$; 19,38 + 0,1 = $\underline{19,48}$

   f) 4,475 + 0,01 = $\underline{4,485}$; 4,485 – 0,005 = $\underline{4,48}$;
   4,48 + 0,01 = $\underline{4,49}$; 4,49 – 0,005 = $\underline{4,485}$

g) 5,96 + 0,3 = <u>6,26</u>; 6,26 + 0,3 = <u>6,56</u>; 6,56 + 0,3 = <u>6,86</u>;
6,86 + 0,3 = <u>7,16</u>

h) 7,229 – 0,04 = <u>7,189</u>; 7,189 – 0,04 = <u>7,149</u>; 7,149 – 0,04 = <u>7,109</u>;
7,109 – 0,04 = <u>7,069</u>

i) 7,595 + 0,09 = <u>7,685</u>; 7,685 + 0,09 = <u>7,775</u>;
7,775 + 0,09 = <u>7,865</u>; 7,865 + 0,09 = <u>7,955</u>

j) 21,6 – 1,1 = <u>20,5</u>; 20,5 – 1,1 = <u>19,4</u>; 19,4 – 1,1 = <u>18,3</u>;
18,3 – 1,1 = <u>17,2</u>

TEST 3.1
Page 30

1. Avant de transformer les nombres décimaux en fractions irréductibles, on doit les transformer en fractions dont le dénominateur est
un multiple de 10. Ensuite, on divise le numérateur et le dénominateur par le plus grand commun diviseur.

a) $0,8 \rightarrow \frac{8}{10} \rightarrow 8 \div 2 = 4$ et $10 \div 2 = 5 \rightarrow \frac{4}{5}$

b) $0,72 \rightarrow \frac{72}{100} \rightarrow 72 \div 4 = 18$ et $100 \div 4 = 25 \rightarrow \frac{18}{25}$

c) $0,255 \rightarrow \frac{255}{1000} \rightarrow 255 \div 5 = 51$ et $1000 \div 5 = 200 \rightarrow \frac{51}{200}$

d) $0,04 \rightarrow \frac{4}{100} \rightarrow 4 \div 4 = 1$ et $100 \div 4 = 25 \div \frac{1}{25}$

e) $0,005 \rightarrow \frac{5}{1000} \rightarrow 5 \div 5 = 1$ et $1000 \div 5 = 200 \rightarrow \frac{1}{200}$

f) $0,42 \rightarrow \frac{42}{100} \rightarrow 42 \div 2 = 21$ et $100 \div 2 = 50 \rightarrow \frac{21}{50}$

g) $0,025 \rightarrow \frac{25}{1000} \rightarrow 25 \div 25 = 1$ et $1000 \div 25 = 40 \rightarrow \frac{1}{40}$

h) $0,95 \rightarrow \frac{95}{100} \rightarrow 95 \div 5 = 19$ et $100 \div 5 = 20 \rightarrow \frac{19}{20}$

2. Pour transformer les pourcentages en nombres décimaux, on doit
transposer sur 100 puis en nombres décimaux. Pour transformer
les fractions en nombres décimaux, on divise le numérateur par le
dénominateur. On peut éliminer les 0 à la fin des nombres décimaux.

a) $7\% \rightarrow 7/100 \rightarrow 0,07$
b) $4/50 \rightarrow 4 \div 50 = 0,08$
c) $3/4 \rightarrow 3 \div 4 = 0,75$
d) $30\% \rightarrow 30/100 \rightarrow 0,3$
e) $59\% \rightarrow 59/100 \rightarrow 0,59$
f) $1/25 \rightarrow 1 \div 25 = 0,04$
g) $5/8 \rightarrow 5 \div 8 = 0,625$
h) $78\% \rightarrow 78/100 \rightarrow 0,78$

3. Pour arrondir à l'unité près, on observe le chiffre qui se situe à la
position des dixièmes, soit le 1er chiffre après la virgule en allant
vers la droite. Si ce chiffre est égal à 0, 1, 2, 3 ou 4, le chiffre des
unités reste le même et on remplace tous les chiffres qui suivent
par des 0. Si ce chiffre est égal à 5, 6, 7, 8 ou 9, on ajoute 1 au
chiffre des unités et on remplace tous les chiffres qui suivent par 0.
Pour arrondir au dixième près, on observe le chiffre qui se situe à
la position des centièmes, soit le 2e chiffre après la virgule en allant
vers la droite. Si ce chiffre est égal à 0, 1, 2, 3 ou 4, le chiffre des
dixièmes reste le même et on remplace tous les chiffres qui suivent
par des 0. Si ce chiffre est égal à 5, 6, 7, 8 ou 9, on ajoute 1 au
chiffre des dixièmes et on remplace tous les chiffres qui suivent par
des 0. Pour arrondir au centième près, on observe le chiffre qui se
situe à la position des millièmes, soit le 3e chiffre après la virgule en
allant vers la droite. Si ce chiffre est égal à 0, 1, 2, 3 ou 4, le chiffre
des centièmes reste le même et on remplace tous les chiffres qui
suivent par des 0. Si ce chiffre est égal à 5, 6, 7, 8 ou 9, on ajoute
1 au chiffre des centièmes et on remplace tous les chiffres qui
suivent par 0.

		À l'unité près	Au dixième près	Au centième près
a)	25,458	25	25,5	25,46
b)	4,337	4	4,3	4,34
c)	89,069	89	89,1	89,07
d)	7,536	8	7,5	7,54
e)	16,292	16	16,3	16,29
f)	3,702	4	3,7	3,70
g)	55,555	56	55,6	55,56
h)	44,444	44	44,4	44,44

Page 31

4. L'ordre décroissant consiste à placer les nombres du plus grand au
plus petit. Pour ce faire, on tient compte des centaines, des dizaines, des unités, des dixièmes et des centièmes. On peut utiliser le
tableau suivant :

centaine	dizaine	unité	dixième	Centième
2	3	4,	5	
	4	3,	2	5

Par exemple, on remarque que 234,5 précède 43,25.
234,5 – 54,23 – 53,24 – 45,32 – 45,23 – 43,25
35,24 – 32,45 – 5,324 – 5,234 – 4,523 – 4,352

5. Pour transformer un nombre décimal en pourcentage, on doit
transposer sur 100 les dixièmes (en ajoutant un 0 s'il n'est pas suivi
d'un centième) et les centièmes, puis en %. Par exemple :
$0,65 = \frac{65}{100} = 65\%$ $0,7 = 0,70 = \frac{70}{100} = 70\%$
a) 65 % b) 36 % c) 70 % d) 8 % e) 2,4 % f) 45,9 % g) 0,2 % h) 60 %

6. Pour décomposer les nombres décimaux, on sépare les dizaines
de mille, les unités de mille, les centaines, les dizaines, les unités,
les dixièmes et les centièmes. On doit tenir compte de la valeur de
position de chaque chiffre ainsi dégagé.
a) 70 + 8 + 0,9 b) 30 + 6 + 0,2 + 0,05
c) 400 + 40 + 2 + 0,1 + 0,07 d) 50 + 7 + 0,8 + 0,06 + 0,003
e) 20 + 5 + 0,06 + 0,002 f) 3000 + 900 + 80 + 4 + 0,5 + 0,05
g) 40 000 + 6000 + 50 + 1 + 0,8
h) 70 000 + 9000 + 400 + 80 + 5 + 0,3 + 0,009

7. Pour transformer un nombre fractionnaire en nombre décimal, on
divise d'abord le numérateur par le dénominateur (le ramener en
base 10 pour les dixièmes ou en base 100 pour les centièmes) et
ensuite on additionne le nombre entier. Par exemple, pour $6\frac{2}{5}$:

$$\begin{array}{r|l} 2 & \underline{5} \\ \underline{-0} & 0,4 \\ 20 & \\ \underline{-20} & \\ 0 & \end{array} \quad \text{ou} \quad \frac{2}{5} \times \frac{2}{2} = \frac{4}{10} \quad \rightarrow \quad 6 + 0,4 = 6,4$$

a) 6,4 b) 5,375 c) 3,25 d) 7,7 e) 2,5 f) 1,6 g) 4,75 h) 8,875 i) 2,9

Page 32

1. Dans une 1 heure, on compte 60 minutes. Pour transformer en
base 100 un nombre qui est en base 60, on multiplie ce nombre
par 100, puis on le divise par 60.

a)	14 h 54 =	$14 + \frac{54}{60}$	14 + (54 × 100 ÷ 60) =	14 + 0,9 = 14,9
b)	3 h 45 =	$3 + \frac{45}{60}$	3 + (45 × 100 ÷ 60) =	3 + 0,75 = 3,75
c)	22 h 18 =	$22 + \frac{18}{60}$	22 + (18 × 100 ÷ 60) =	22 + 0,3 = 22,3
d)	8 h 30 =	$8 + \frac{30}{60}$	8 + (30 × 100 ÷ 60) =	8 + 0,5 = 8,5
e)	6 h 42 =	$6 + \frac{42}{60}$	6 + (42 × 100 ÷ 60) =	6 + 0,7 = 6,7
f)	11 h 12 =	$11 + \frac{12}{60}$	11 + (12 × 100 ÷ 60) =	11 + 0,2 = 11,2
g)	23 h 09 =	$23 + \frac{9}{60}$	23 + (9 × 100 ÷ 60) =	23 + 0,15 = 23,15
h)	2 h 51 =	$2 + \frac{51}{60}$	2 + (51 × 100 ÷ 60) =	2 + 0,85 = 2,85
i)	5 h 24 =	$5 + \frac{14}{60}$	5 + (24 × 100 ÷ 60) =	5 + 0,4 = 5,4
j)	18 h 36 =	$18 + \frac{36}{60}$	18 + (36 × 100 ÷ 60) =	18 + 0,6 = 18,6

2. Pour trouver le nombre s'approchant le plus de chaque nombre
décimal, on doit arrondir le nombre. Par exemple, pour 3,578, on
arrondit au dixième près, car les nombres présentés se terminent
par des dixièmes. Ainsi, 3,578 s'arrondit à 3,6 → 3,578 est donc
plus près de 3,6.
a) 3,6 b) 7 c) 4,43 d) 9,3 e) 60 f) 63,27 g) 317 h) 1,15 i) 415,3
j) 79 k) 624,62 l) 0,1

Page 33

3. En bleu → 0,00<u>7</u>; en rouge → 0,0<u>20</u>; en jaune → 0,<u>9</u>00.

5,135	6,806	4,339	7,246	9,5	4,465	3,664	2,6	4,034	5,17	6,406
8,01	2,037	4,147	0,3	0,428	2,33	4,123	4,59	3,91	6,94	8,9
6,13	5,257	8,85	9,218	3,72	1,8	9,225	2,394	6,9	3,345	0,923
4,3	9,097	3,767	3,14	5,629	3,64	6,32	1,29	9,95	2,911	1,95
9,441	2,501	1,497	0,65	8,02	7,352	8,421	9,044	2,9	9,43	1,312
5,5	7,927	6,817	5,59	1,22	7,326	5,624	7,14	4,98	8,61	3,13
8,65	8,89	0,71	4,47	4,31	4,5	5,099	0,3	0,56	7,802	5,654
6,892	0,82	5,721	1,391	2,107	4,467	5,637	2,54	8,4	6,79	7,8
5,01	1,62	2,6	4,202	6,117	5,676	9,707	5,7	7,292	5,685	9,07
7,13	2,123	6,02	6,114	0,257	8,587	6,1	4,053	6,3	4,57	0,19
4,343	3,225	4,53	2,03	3,247	6,80	5,817	3,255	5,75	3,46	2,233
8,0	4,62	7,427	9,8	7,397	7,79	4,477	2,4	4,8	2,35	4,3
2,15	9,682	6,41	7,546	0,704	8,684	8,5	1,663	3,6	1,2	6,452
9,2	5,9	7,33	8,2	5,8	7,963	4,66	3,02	1,22	7,524	8,54
0,364	7,913	4,905	9,17	3,9	5,97	8,88	8,225	3,78	9,72	0,73
1,78	9,94	9,24	2,966	1,11	3,911	3,7	0,12	5,12	6,62	1,8
4,795	0,91	4,25	2,448	1,2	9,909	8,492	6,426	3,11	8,028	2,01
2,40	4,933	6,16	2,6	3,32	4,968	2,2	2,32	5,2	2,82	3,802
4,416	5,573	1,07	6,03	7,4	9,57	8,5	6,47	5,37	2,24	4,61
3,75	4,36	5,8	9,017	0,548	0,458	7,397	6,673	4,492	2,3	5,49
4,838	8,254	3,78	8,237	1,777	1,44	8,117	2,3	4,5	7,53	6,294
6,03	7,04	5,6	6,447	8,65	5,587	2,737	6,785	9,63	9,44	7,07
8,349	9,65	3,59	3,657	0,77	2,3	4,847	0,001	3,7	1,71	8,2
7,2	0,836	2,50	2,867	7,88	3,33	3,057	3,13	4,854	7,6	8,35
1,68	2,7	4,41	5,8	6,199	4,216	2,8	5,295	5,09	0,505	4,1

Réponse : Le superhéros favori de Pascal est Superman.

Page 34

4. Pour transformer un nombre fractionnaire en pourcentage, il faut multiplier le numérateur et le dénominateur par le nombre obtenu après avoir divisé 100 par le dénominateur. On garde ensuite le numérateur et on l'accompagne du symbole %. Pour transformer un pourcentage en nombre décimal, on prend le numérateur obtenu et on tient compte des unités, des dixièmes, des centièmes et des millièmes.
a) 36 %; 0,36 b) 70 %; 0,7 c) 150 %; 1,5 d) 175 %; 1,75
e) 15 %; 0,15 f) 80 %; 0,8 g) 190 %; 1,9 h) 315 %; 3,15
i) 156 %; 1,56 j) 1250 %; 12,5

5. Pour placer les nombres dans les bonnes valises, on doit aligner les virgules afin de comparer la valeur de chaque nombre décimal.

Plus grands que 9,4 :	Nombres décimaux impairs :
9,424 ; 9,76	4,27 ; 6,357 ; 7,001 ; 5,5 ; 5,3 ; 8,79 ; 7,891

Plus petits que 3,8 :	Nombres placés dans aucune valise :
3,08 ; 2,6 ; 1,92 ; 0,788 ; 2,004 ; 3,798	8,96 ; 6,418 ; 8,12 ; 9,02 ; 4,14

TEST 4
Page 35

1. L'ordre croissant consiste à placer les nombres du plus petit au plus grand. Les nombres entiers positifs se placent de gauche à droite selon la valeur du chiffre. Les nombres entiers négatifs se placent de droite à gauche selon la valeur du chiffre.
– 10, – 9, – 8, – 7, – 6, – 5, – 4, – 3, – 2, – 1, 0, 1, 2, 3, 4, 5, 6, 7, 8, 9

2. Pour compléter les suites, on doit effectuer les bonds en respectant la règle. Par exemple : 6 – 3 = 3 ; 3 – 0 = 3 ; 0 – 3 = – 3 ; – 3 – 3 = – 6 → La règle est donc – 3.
a) Règle : – 3 ; – 9, – 12, – 15, – 18
b) Règle : + 2 ; – 2, 0, 2, 4
c) Règle : + 1, – 2 ; 3, 1, 2, 0
d) Règle : – 5 ; – 5, 0, – 5, – 10
e) Règle : + 3 ; – 5, – 2, 1, 4
f) Règle : + 4, – 6 ; 6, 0, 4, -2

3. Pour résoudre une équation qui comporte des entiers positifs et des entiers négatifs, on doit tenir compte des règles suivantes : deux signes pareils, on les additionne et on garde le même signe (aucun symbole pour les entiers positifs et – pour les entiers négatifs) ; deux signes contraires, on les soustrait et le plus fort l'emporte (3 – 12 = ? → + 3 + – 12 = ? → 12 – 3 = 9 → – 9). On peut également utiliser la droite numérique pour effectuer les calculs. Par exemple : 16 – 18 = – 2 et 21 – 27 = – 6 → – 2 > – 6. Le symbole < signifie « est plus petit que ». Le symbole > signifie « est plus grand que ». Le symbole = signifie « est égal à ».
a) – 2 > – 6   16 – 18 = – 2   21 – 27 = – 6
b) – 3 > – 4   – 6 + 3 = – 3   5 – 9 = – 4
c) – 8 < – 5   17 – 25 = – 8   1 – 6 = – 5
d) – 6 > – 9   4 – 10 = – 6   3 – 12 = – 9
e) – 1 = – 1   13 – 14 = – 1   7 – 8 = – 1
f) – 4 < – 3   3 + 4 – 11 = – 4   3 – 2 – 4 = – 3
g) – 4 < 10   0 – 7 + 3 = – 4   5 – 1 + 6 = 10
h) – 5 = – 5   5 – 20 + 10 = – 5   4 + 3 – 12 = – 5

Page 36

1. Les nombres entiers positifs se placent de la gauche vers la droite et les nombres entiers négatifs de la droite vers la gauche de la droite numérique.

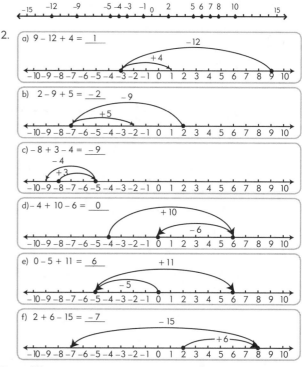

2.
a) 9 – 12 + 4 = 1
b) 2 – 9 + 5 = – 2
c) – 8 + 3 – 4 = – 9
d) – 4 + 10 – 6 = 0
e) 0 – 5 + 11 = 6
f) 2 + 6 – 15 = – 7

Page 37

3. a) Le second terme de l'équation doit être supérieur à 7 par rapport au premier terme dans le cas d'une soustraction et inférieur à 7 dans le cas d'une addition.
b) Le second terme de l'équation doit être supérieur à 4 par rapport au premier terme dans le cas d'une soustraction et inférieur à 4 dans le cas d'une addition.
c) Le second terme de l'équation doit être supérieur à 10 par rapport au premier terme dans le cas d'une soustraction et inférieur à 10 dans le cas d'une addition.
d) Le second terme de l'équation doit être supérieur à 3 par rapport au premier terme dans le cas d'une soustraction et inférieur à 3 dans le cas d'une addition.
e) Le second terme de l'équation doit être supérieur à 12 par rapport au premier terme dans le cas d'une soustraction et inférieur à 12 dans le cas d'une addition.

–	5	2	8	14	22	25	31	47
6	1	4	- 2	- 8	- 16	- 19	- 25	- 41
4	-1	2	- 4	- 10	- 18	- 21	- 27	- 43
11	6	9	3	- 3	- 11	- 14	- 20	- 36
16	11	14	8	2	- 6	- 9	- 15	- 31
19	14	17	11	5	- 3	- 6	- 12	- 28
3	- 2	1	- 5	- 11	- 19	- 22	- 28	- 44
27	22	25	19	13	5	2	- 4	- 20
10	5	8	2	- 4	- 12	- 15	- 21	- 37

TEST 4.1
Page 38
1. *Pour résoudre chaque équation, on peut utiliser une droite numérique sur laquelle on part du premier terme de l'équation en se déplaçant vers la gauche pour une soustraction ou vers la droite pour une addition.*
a) -5 b) -14 c) 4 d) -8 e) -6 f) -1 g) -5 h) -4 i) 6
2. *L'ordre croissant consiste à placer les nombres du plus petit au plus grand. Le 0 est toujours plus grand que les nombres entiers négatifs et toujours plus petit que les nombres entiers positifs. Les nombres entiers négatifs sont toujours plus petits que les nombres entiers positifs. Plus un nombre entier négatif est grand plus sa valeur est petite. Exemple: -12<-4.*
L'animal de compagnie de Francis est un perroquet.

Page 39
1.

a) $18 + 2 - 10 - 10 = \underline{\ 0\ }$

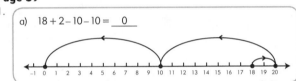

b) $-5 - 13 + 9 - 2 = \underline{-11}$

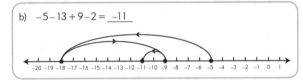

c) $0 - 6 + 4 - 15 = \underline{-17}$

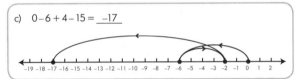

d) $12 - 8 + 2 - 18 = \underline{-12}$

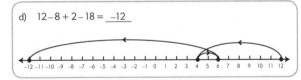

e) $14 - 7 + 3 - 11 = \underline{-1}$

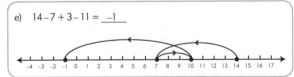

f) $-7 - 10 + 16 - 6 = \underline{-7}$

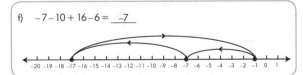

2. *Afin de pouvoir indiquer la position de chaque lettre, il faut d'abord inscrire les nombres entiers positifs (vers la gauche) et négatifs (vers la droite) sur la droite numérique.*

1.

F   A   H   C   B   G E   D

A: -9 B: 4 C: -3 D: 12 E: 9 F: -14 G: 8 H: -6

TEST 5
Page 40
1. Elle a vendu 303 729 albums après une semaine.
On additionne les ventes des deux albums:

```
   1 1   1
   36 549
+ 267 180
  303 729
```

2. 392 566 personnes devraient immigrer en Amérique du Nord.
On soustrait la population du continent nord-américain de celle du continent européen:

```
   6    6 1
  7 24 7 2 2
- 332 156
  392 566
```

3. Le diamètre de la planète Mars est de 6798 km.
On multiplie le diamètre de Phobos par 309:

```
      1
    309
  x  22
    618
+ 6180
   6798
```

4. La distance entre Amsterdam et Berlin est de 579 km.
On divise la distance entre Moscou et Canberra par 25.

```
14 475 | 25
- 12 5   | 579
   197
 - 175
   225
 - 225
     0
```

Page 41
5. 278 319 téléspectateurs regardaient *Les racontars d'Oscar*.
556 638 téléspectateurs regardaient *La voix du silence*.
On doit d'abord soustraire 258 626 du nombre de téléspectateurs qu'attirait Le temps d'une vie, puis multiplier le nombre obtenu par 2:

```
  4 2  3            1 1   1
 5 3 6 94 5         278 319
- 258 626         ×       2
 2 78 319         556 638
```

6. La balance penche du côté gauche puisque le poids total y est de 109 g, comparativement à 97 g pour l'autre côté.
On additionne les poids de chaque plateau de la balance:
63 + 34 = 97   24 + 33 + 52 = 109

7. a)
```
    12,75
    12,75
    281
+    48,06
   535,06
   calories
```
b)
```
     378
     378
     378
     207,8
     180,5
+    180,5
   1702,8 calories
```
c)
```
     281
     281
     12,75
     48,06
+    48,06
   670,87 calories
```

Page 42
1. *Les équations placées entre parenthèses doivent être résolues avant les autres.*
a) 5 x 7 = 35 b) 72 + 28 = 100 c) 40 – 3 = 37
d) 528 ÷ 6 = 88 e) 9 + 36 – 17 = 28
2. *Les multiplications et les divisions doivent être résolues avant les additions et les soustractions.*
a) (45 ÷ 3) – (2 x 4) = 15 – 8 = 7
b) 16 + (28 ÷ 4) – 5 = 16 + 7 – 5 = 18
c) (20 x 9 ÷ 6) + (3 x 3) – 7 = 30 + 9 – 7 = 32
d) 35 + (25 ÷ 5) + (10 x 2) = 35 + 5 + 20 = 60
e) 57 – 38 + 8 – (5 x 3) = 57 – 38 + 8 – 15 = 12
3. *La distributivité consiste à distribuer une multiplication ou une division sur une addition ou une soustraction placée entre parenthèses (un terme à la fois).*
a) (4 x 8) – (4 x 6) = 32 – 24 = 8
b) (7 x 5) + (7 x 9) = 35 + 63 = 98
c) (6 x 26) – (6 x 13) = 156 – 78 = 78
d) (8 x 37) + (8 x 24) = 296 + 192 = 488
e) (5 x 7) + (5 x 8) – (5 x 4) = 35 + 40 – 20 = 55

Page 43
4. *Les nombres divisibles par 5 se terminent toujours par 0 ou 5. Les nombres divisibles par 3 sont ceux dont la somme des chiffres donne un multiple de 3. Les nombres divisibles par 4 se terminent toujours par 0, 2, 4, 6 ou 8. Mais les nombres qui se terminent par ces chiffres ne sont pas tous divisibles par 4. Il faut faire appel aux tables de multiplication.*

Entoure les nombres suivants : 5.
10, 15, 20, 25, 30, 35, 40, 45,
50, 55, 60, 65, 70, 75, 80,
85, 90
Souligner les nombres suivants :
12, 15, 18, 21, 24, 27, 30, 33,
36, 39, 42, 45, 48, 51, 54, 57,
60, 63, 66, 69, 72, 75, 78, 81,
84, 87, 90, 93
Faire un x sur les nombres
suivants : 8, 12, 16, 20, 24,
28, 32, 36, 40, 44, 48, 52,
56, 60, 64, 68, 72, 76, 80,
84, 88, 92

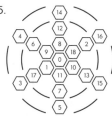

*Pour placer les nombres de 0
à 18 au bon endroit, on doit
procéder par tâtonnement en
exécutant des additions dont la
somme est 57 et dont les termes
sont compris entre 0 et 18.*

Page 44

6. a)
$$\overset{1\ 1\ 1}{5\ 687}$$
$$+\ 2\ 385$$
$$8\ 072$$

b)
$$\overset{8}{69\overset{|}{0}4}$$
$$-\ 3271$$
$$3633$$

c)
$$\overset{1\ 1\ 1}{3\ 947}$$
$$+\ 2\ 684$$
$$6\ 631$$

d)
$$\overset{6\ \ 14\ \ 9}{7\ \cancel{50}\overset{|}{2}}$$
$$-\ 1\ 863$$
$$5\ 639$$

e)
$$\overset{8}{4\ 9\overset{|}{2}4}$$
$$-\ 2\ 372$$
$$2\ 552$$

f)
$$\overset{1\ 1\ \ 1}{82\ 653}$$
$$+\ 9\ 476$$
$$92\ 129$$

g)
$$\overset{1}{8\ 865}$$
$$+\ 1\ 234$$
$$10\ 099$$

h)
$$\overset{6\ 17\ 9}{478\cancel{0}\overset{|}{3}2}$$
$$-\ 59\ 151$$
$$418\ 882$$

i)
$$\overset{1\ \ 1}{27\ 084}$$
$$+\ 9\ 853$$
$$36\ 937$$

j)
$$\overset{4\ \ \ 8}{75\overset{|}{2}\ 9\overset{|}{6}7}$$
$$-\ 243\ 770$$
$$509\ 197$$

k)
$$\overset{6\ 9\ 9\ 9\ \ }{\cancel{700\ 00}\overset{|}{0}}$$
$$-\ \ \ 3\ 294$$
$$696\ 706$$

l)
$$\overset{1\ \ 1\ \ 1}{332\ 594}$$
$$+\ 56\ 877$$
$$389\ 471$$

7. a)
$$\overset{1}{\underset{4}{38}}$$
$$\times\ 25$$
$$\overset{1}{190}$$
$$+\ 760$$
$$950$$

b)
$$39\overset{\cancel{0}}{}\ \lfloor\underline{5}$$
$$-\ 35\ \ \ 78$$
$$\ \ \ 40$$
$$-\ 40$$
$$\ \ \ \ 0$$

c)
$$\overset{5\ 1}{\underset{7\ 2}{293}}$$
$$\times\ 68$$
$$2\ 344$$
$$+\ 17\ 580$$
$$19\ 924$$

d)
$$1\ 368\ \lfloor\underline{24}$$
$$-\ 1\ 20\ \ \ 57$$
$$\ \ \ 168$$
$$-\ 168$$
$$\ \ \ \ \ 0$$

e)
$$62\cancel{1}\ \lfloor\underline{27}$$
$$-\ 54\ \ \ 23$$
$$\ \ \ 81$$
$$-\ 81$$
$$\ \ \ \ 0$$

f)
$$\ \ \ 706$$
$$\times\ 41$$
$$\ \ \ 706$$
$$+\ 28\ 240$$
$$28\ 946$$

g)
$$\overset{3\ 3}{\underset{2\ 2}{877}}$$
$$\times\ 53$$
$$2\ 631$$
$$+\ 43\ 850$$
$$46\ 481$$

h)
$$2\ 83\cancel{2}\ \lfloor\underline{48}$$
$$-\ 2\ 40\ \ \ 59$$
$$\ \ \ 432$$
$$-\ 432$$
$$\ \ \ \ \ 0$$

i)
$$\overset{3\ 3}{\underset{4\ 4}{555}}$$
$$\times\ 79$$
$$4\ 995$$
$$\overset{1\ 1\ 1}{+\ 38\ 850}$$
$$43\ 845$$

j)
$$5\ 568\ \lfloor\underline{87}$$
$$-\ 5\ 22\ \ \ 64$$
$$\ \ \ 348$$
$$-\ 348$$
$$\ \ \ \ \ 0$$

k)
$$2\ 886\ \lfloor\underline{74}$$
$$-\ 2\ 22\ \ \ 39$$
$$\ \ \ 666$$
$$-\ 666$$
$$\ \ \ \ \ 0$$

l)
$$\ \ \ 900$$
$$\times\ 44$$
$$3\ 600$$
$$+\ 36\ 000$$
$$39\ 600$$

Page 45

8. *Pour décomposer un nombre en facteurs premiers, on utilise
l'arbre des facteurs, un diagramme dans lequel on divise les
nombres jusqu'à ce qu'ils ne soient plus divisibles. Pour donner la
réponse sous forme exponentielle, on compte le nombre de fois
que chaque nombre est multiplié par lui-même (ce nombre devient
l'exposant). Enfin, on sépare chaque terme par le symbole de la
multiplication (x).*
a) $3^2 \times 7^2$ b) $2^2 \times 3^2 \times 5^1$ c) $2^4 \times 3^2$ d) $3^4 \times 5^1$ e) $2^2 \times 3^4$ f) $2^3 \times 3^4$

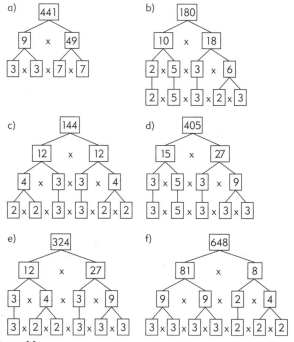

Page 46

9. a) $6^2 + 2^4 = (6 \times 6) + (2 \times 2 \times 2 \times 2) = 36 + 16 = 52$

b) $3^4 - 4^3 = (3 \times 3 \times 3 \times 3) - (4 \times 4 \times 4) = 81 - 64 = 17$

c) $2^3 \times 3^2 \times 5^2 = (2 \times 2 \times 2) \times (3 \times 3) \times (5 \times 5) = 8 \times 9 \times 25$
$= 1800$

d) $4^4 \div 2^3 = (4 \times 4 \times 4 \times 4) \div (2 \times 2 \times 2) = 256 \div 8 = 32$

e) $7^3 + 5^3 + 2^5 = (7 \times 7 \times 7) + (5 \times 5 \times 5) + (2 \times 2 \times 2 \times 2 \times 2)$
$= 343 + 125 + 32 = 500$

f) $3^2 \times (3^2 + 2^3) = (3 \times 3) \times [(3 \times 3) + (2 \times 2 \times 2)] = 9 \times (9 + 8)$
$= 9 \times 17 = 153$

g) $(6^3 \times 3^1) - (5^2 \times 4^2) = [(6 \times 6 \times 6) \times (3)] - (5 \times 5 \times 4 \times 4)$
$= 648 - 400 = 248$

h) $(5^3 + 7^3) \div 3^2 = [(5 \times 5 \times 5) + (7 \times 7 \times 7)] \div (3 \times 3)$
$= (125 + 343) \div 9 = 468 \div 9 = 52$

i) $(2^3 \times 3^2 \times 4^3) - (5^2 \times 7^2) = [(2 \times 2 \times 2) \times (3 \times 3) \times (4 \times 4 \times 4)] -$
$[(5 \times 5) \times (7 \times 7)] = (8 \times 9 \times 64) - (25 \times 49) = 4608 - 1225 = 3383$

j) $15^3 + 21^2 = (15 \times 15 \times 15) + (21 \times 21) = 3375 + 441 = 3816$

k) $(34^2 \div 2^2) \times (5^3 - 4^3) = [(34 \times 34) \div (2 \times 2)] \times [(5 \times 5 \times 5) -$
$(4 \times 4 \times 4)] = (1156 \div 4) \times (125 - 64) = 289 \times 61 = 17\ 629$

l) $7^5 \times 10^0 - 3^4 = [(7 \times 7 \times 7 \times 7 \times 7) \times (1)] - (3 \times 3 \times 3 \times 3)$
$= (16\ 807 \times 1) - 81 = 16\ 726$

Page 47

1. Les ouvrières devront coudre 21 300 boutons sur les manteaux.
*Pour trouver le nombre de boutons, on multiplie d'abord le nombre
d'imperméables par le nombre de boutons cousus sur chacun
d'entre eux (485 x 6 = 2910). On multiplie ensuite le nombre de
parkas par le nombre de boutons cousus sur chacune d'entre elles
(270 x 5 = 1350). Puis on additionne les deux nombres obtenus
(2910 + 1350 = 4260) pour enfin multiplier cette somme par le
nombre de jours (4260 x 5 = 21 300).*

2. Il peut remplir 29 280 barriques de lait sur une période de 10 ans.
*Pour trouver le nombre de barriques, on divise d'abord la quantité
totale de lait produite en une année par la quantité contenue dans
une barrique (58 560 ÷ 20 = 2928). On doit ensuite multiplier le
nombre obtenu par le nombre d'années (2928 x 10 = 29 280).*

3. La population du Qatar est de 885 359 habitants.
La population de l'Islande est de 299 388.
*Pour trouver la population du Qatar, on additionne le nombre
850 094 au nombre d'habitants du Liechtenstein (35 265 +
850 094 = 885 359). Pour trouver la population de l'Islande,
on doit soustraire le nombre 585 971 du nombre d'habitants
du Qatar (885 359 – 585 971 = 299 388).*

4. La population de Charlottetown est de 58 625 habitants.
Pour trouver le nombre d'habitants de la capitale de l'Île-du-Prince-Édouard, on divise le nombre d'habitants de la capitale de l'Alberta par 16 (938 000 ÷ 16 = 58 625).

Page 48

5. Pour compléter le tableau, on commence avec les données connues : la superficie de la Tanzanie est d'environ 945 000 km². Ensuite, on effectue les calculs pour trouver la superficie des pays dans l'ordre suivant : Ouganda, Allemagne, Irlande, Népal, Bahamas, Suisse, Slovénie, Thaïlande, Pologne.

Ville	Superficie en km²	Ville	Superficie en km²
Allemagne	357 000	Pologne	312 700
Bahamas	14 000	Slovénie	20 500
Irlande	70 000	Suisse	41 000
Népal	140 000	Tanzanie	945 000
Ouganda	236 250	Thaïlande	512 500

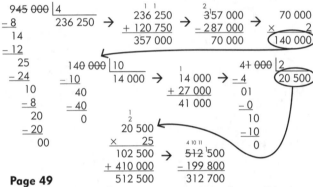

Page 49

1. Pour trouver les chiffres manquants, on doit y aller par déduction en portant une attention particulière aux retenues (multiplications) et aux emprunts (divisions). Aussi, on utilise parfois l'opération contraire. On procède par tâtonnement en remplaçant les cases vides par des nombres, et ce, en tenant compte des indices (par exemple, 5 x ? = ?0 → le terme manquant peut être 0 (5 x 0 = 0), 2 (5 x 2 = 10), 4 (5 x 4 = 20), 6 (5 x 6 = 30) ou 8 (5 x 8 = 40).
a) 6945 x 34 = 236 130   b) 8944 ÷ 4 = 2236
c) 2783 x 71 = 197 593   d) 1692 ÷ 36 = 47
e) 4550 x 56 = 254 800   f) 2646 ÷ 98 = 27
g) 7777 x 48 = 373 296   h) 2438 ÷ 53 = 46

2. a)
```
  6 794
+   245
  7 039
```
b)
```
23 7 54 0
 - 89 377
 148 163
```
c)
```
 51 294
+ 67 428
 118 722
```
d)
```
 8 2 74 3
 - 19 488
  63 255
```
e)
```
 572 118
+   4 987
 577 105
```
f)
```
  4 50 8
 -   769
   3 739
```
g)
```
 23 106
+ 6 060
 29 166
```
h)
```
 73 00 0
 - 5 476
  67 524
```
i)
```
 32 178
+ 87 345
 119 523
```
j)
```
 5 0 5 05
 - 4 040
  46 465
```
k)
```
 379 241
+ 129 456
 508 697
```
l)
```
 870 12 4
 - 798 286
   71 838
```

Page 50

3. Lorsqu'on multiplie un nombre par 10, on ajoute un 0 à droite de ce nombre. Lorsqu'on multiplie un nombre par 100, on ajoute deux 0 à droite de ce nombre. Lorsqu'on multiplie un nombre par 1000, on ajoute trois 0 à droite de ce nombre.

Colonne 1 :
a) 70
b) 290
c) 4300
d) 2460
e) 65 100
f) 9000
g) 3450
h) 6000
i) 45 700
j) 80 500

Colonne 2 :
a) 600
b) 33 000
c) 8970
d) 458 000
e) 5200
f) 60 000
g) 40 400
h) 50 000
i) 6430
j) 220 000

Colonne 3 :
a) 8000
b) 4500
c) 920
d) 38 000
e) 73 000
f) 5600
g) 30 000
h) 4000
i) 7900
j) 90 900

4. a)
```
   27
 x  5
  135
```
```
  135
 x  39
 1 215
+ 4 050
 5 265
```
b)
```
 31 680 | 80
 - 24 0   396
   7 68
 - 7 20
    480
  - 480
      0
```
```
 396 | 9
 - 36   44
   36
 - 36
    0
```
c)
```
   49
 x  26
  294
+ 980
 1 274
```
```
 1 274
 x   8
 10 192
```
d)
```
 9 876 | 4
 - 8     2469
   18
 - 16
   27
 - 24
   36
 - 36
    0
```
```
 2 469 | 3
 - 24    823
   06
  - 6
   09
  - 9
    0
```
e)
```
   893
 x  33
 2 679
+ 26 790
 29 46 9
```
```
 29 469
 x    7
 206 283
```
f)
```
 28 560 | 30
 - 27 0    952
   1 56
 - 1 50
     60
   - 60
      0
```
```
 952 | 14
 - 84   68
  112
 - 112
    0
```

Page 51

5. a) (5 x 5) + (4 x 4) = 25 + 16 = 41
b) (2 x 2 x 2) + (6 x 6) = 8 + 36 = 44
c) (3 x 3 x 3) + (4 x 4 x 4) = 27 + 64 = 91
d) (7 x 7) + (2 x 2 x 2 x 2) + 16 = 49 + 16 = 65
e) (9 x 9) – (4 x 4 x 4) = 81 – 64 = 17
f) (8 x 8) – (2 x 2 x 2) = 64 – 8 = 56
g) (5 x 5) – (2 x 2 x 2 x 2) = 25 – 16 = 9
h) (7 x 7) – (3 x 3 x 3) = 49 – 27 = 22
i) (4 x 4 x 4 x 4) + (2 x 2 x 2 x 2 x 2 x 2) – (3 x 3 x 3 x 3)
   = 256 + 64 – 81 = 239
j) (5 x 5 x 5) – (4 x 4) – (8 x 8) = 125 – 16 – 64 = 45
k) (2 x 2 x 2 x 2 x 2) + (3 x 3 x 3 x 3) + 1 = 32 + 81 + 1 = 114
l) (4 x 4 x 4) – (2 x 2 x 2 x 2) + 9 = 64 – 16 + 9 = 57

Page 52

6. a)
```
   470
 x  56
 2 820
+ 23 500
 26 320
```
b)
```
 984 | 6
 - 6   164
   38
 - 36
   24
 - 24
    0
```
c)
```
   673
 x  70
   000
+ 47 110
 47 110
```
d)
```
 2 674 | 14
 - 14    191
  1 27
 - 126
    14
  - 14
     0
```
e)
```
   824
 x  35
 4 120
+ 24 720
 28 840
```
f)
```
 5 975 | 25
 - 50    239
   97
 - 75
  225
 - 225
    0
```

g)
$$\begin{array}{r} {}^{3\,2} \\ {}^{7\,4} \\ 196 \\ \times\ \ 48 \\ \hline {}^{1\,1} \\ 1\ 568 \\ +\ 7\ 840 \\ \hline 9\ 408 \end{array}$$

h)
$$\begin{array}{r} {}^{7} \\ {}^{8}\,{}'256 \\ \hline -43 \\ \hline 3\ {}^{8}9{}'5 \\ -3\ 87 \\ \hline 86 \\ -86 \\ \hline 0 \end{array}\ \begin{array}{l} |43 \\ \overline{192} \end{array}$$

7. a) $5^4 \div 5^1 = (5 \times 5 \times 5 \times 5) \div (5) = 625 \div 5 = 125$
   b) $3^3 \times 4^2 = (3 \times 3 \times 3) \times (4 \times 4) = 27 \times 16 = 432$
   c) $4^4 \div 2^3 = (4 \times 4 \times 4 \times 4) \div (2 \times 2 \times 2) = 256 \div 8 = 32$
   d) $6^2 \times 8^1 = (6 \times 6) \times (8) = 36 \times 8 = 288$
   e) $9^3 \div 3^2 = (9 \times 9 \times 9) \div (3 \times 3) = 729 \div 9 = 81$
   f) $7^0 \times 8^3 = (1) \times (8 \times 8 \times 8) = 1 \times 512 = 512$
   g) $8^2 \div 4^2 = (8 \times 8) \div (4 \times 4) = 64 \div 16 = 4$
   h) $2^3 \times 2^3 = (2 \times 2 \times 2) \times (2 \times 2 \times 2) = 8 \times 8 = 64$
   i) $10^2 \div 5^2 = (10 \times 10) \div (5 \times 5) = 100 \div 25 = 4$

TEST 6
Page 53

1. Le cortège de mouffettes s'étire sur 166,81 cm.

Pour trouver la longueur du cortège, on additionne les longueurs des 3 mouffettes en prenant soin d'aligner les virgules et de remplacer les chiffres manquants après la virgule par des 0.

$$\begin{array}{r} {}^{1\,1}\ {}^{1} \\ 54,95 \\ 48,16 \\ +\ 63,70 \\ \hline 166,81 \end{array}$$

2. Il n'a pas assez d'argent pour acheter le vélo et il devra emprunter 12,17 $.

Pour trouver la somme qu'il restera ou manquera à Laurent, on soustrait d'abord le montant du rabais du prix total du vélo, puis on soustrait de ce montant l'argent que Laurent a dans ses poches.

$$\begin{array}{r} {}^{7} \\ 38{}'2,75 \\ -\ 75,00 \\ \hline 307,75 \end{array}\qquad \begin{array}{r} {}^{2}\ \ {}^{6} \\ 3{}'07,7{}'5 \\ -\ 295,58 \\ \hline 12,17 \end{array}$$

3. Il en coûtera 38,85 $ au père d'Aurélie.

Pour trouver combien il en coûtera au père d'Aurélie, on multiplie le prix de la réparation d'un pneu par 3.

$$\begin{array}{r} {}^{2}\ {}^{1} \\ 12,95 \\ \times\ \ \ 3 \\ \hline 38,85 \end{array}$$

4. Les alpinistes seront à 21,16 m du sol.

Pour trouver à quelle distance du sol les alpinistes se trouvent, on divise la hauteur de la falaise par 3.

$$\begin{array}{r} 6\ 3,48 \\ -6 \\ \hline 03 \\ -3 \\ \hline 04 \\ -3 \\ \hline 18 \\ -18 \\ \hline 0 \end{array}\ \begin{array}{l} |3 \\ \overline{21,16} \end{array}$$

Page 54

5. L'antilope peut franchir une distance de 7,5 km en 5 minutes.

Comme dans 1 heure il y a 60 minutes, on doit diviser 90 par 60, puis multiplier par 5 minutes :

$$\begin{array}{r} 90 \\ -60 \\ \hline 300 \\ -300 \\ \hline 0 \end{array}\ \begin{array}{l} |60 \\ \overline{1,5} \end{array}\qquad \begin{array}{r} {}^{2} \\ 1,5 \\ \times\ \ 5 \\ \hline 7,5 \end{array}$$

6. La tortue peut franchir une distance de 4,8 km en 3 jours.

On multiplie d'abord le nombre de jours par le nombre d'heures. Puis on multiplie le produit obtenu par 0,2.

$$8 \times 3 = 24$$

$$\begin{array}{r} 24 \\ \times\ 0,2 \\ \hline 4,8 \\ +\ 000 \\ \hline 4,8 \end{array}$$

7. Chacune devra débourser 13,95 $.

On divise le montant déboursé par 3.

$$\begin{array}{r} 4\ 1,85 \\ -3 \\ \hline 11 \\ -9 \\ \hline 28 \\ -27 \\ \hline 15 \\ -15 \\ \hline 0 \end{array}\ \begin{array}{l} |3 \\ \overline{13,95} \end{array}$$

8. La tour de Colin mesurera 40,625 m.

On divise la hauteur de la tour Eiffel par 8.

$$\begin{array}{r} 325 \\ -32 \\ \hline 05 \\ -0 \\ \hline 50 \\ -48 \\ \hline 20 \\ -16 \\ \hline 40 \\ -40 \\ \hline 0 \end{array}\ \begin{array}{l} |8 \\ \overline{40,625} \end{array}$$

Page 55

1. *Afin de résoudre les additions de nombres décimaux, on doit aligner les virgules et remplacer les dixièmes, les centièmes ou les millièmes manquants par des 0.*

a)
$$\begin{array}{r} {}^{1\,1}\ {}^{1} \\ 456,87 \\ +\ 23,39 \\ \hline 480,26 \end{array}$$

b)
$$\begin{array}{r} {}^{1} \\ 504,360 \\ +\ 49,821 \\ \hline 554,181 \end{array}$$

c)
$$\begin{array}{r} {}^{1} \\ 62,400 \\ +\ 724,905 \\ \hline 787,305 \end{array}$$

d)
$$\begin{array}{r} {}^{1\,1} \\ 96,250 \\ 34,700 \\ +\ 8,439 \\ \hline 139,389 \end{array}$$

e)
$$\begin{array}{r} {}^{1\,1\,1}\ {}^{1\,1} \\ 3,356 \\ 97,450 \\ +\ 238,664 \\ \hline 339,470 \end{array}$$

f)
$$\begin{array}{r} 574,00 \\ +\ 25,48 \\ \hline 599,48 \end{array}$$

2. *Afin de résoudre les soustractions de nombres décimaux, on doit aligner les virgules et remplacer les dixièmes, les centièmes ou les millièmes manquants par des 0.*

a)
$$\begin{array}{r} {}^{2\,14} \\ 235,78 \\ -\ 129,86 \\ \hline 105,92 \end{array}$$

b)
$$\begin{array}{r} {}^{6\,9}\ {}^{13} \\ 670,40 \\ -\ 37,65 \\ \hline 632,75 \end{array}$$

c)
$$\begin{array}{r} {}^{6}\ \ {}^{2} \\ 7{}'09,3{}'78 \\ -\ 699,190 \\ \hline 10,188 \end{array}$$

d)
$$\begin{array}{r} {}^{7\ 14\ 13} \\ 48,540 \\ -\ 32,973 \\ \hline 15,567 \end{array}$$

e)
$$\begin{array}{r} {}^{6\ 9} \\ 985,700 \\ -\ 4,336 \\ \hline 981,364 \end{array}$$

f)
$$\begin{array}{r} {}^{2\,18} \\ 39,065 \\ -\ 9,700 \\ \hline 29,365 \end{array}$$

3. *Afin de résoudre les multiplications de nombres décimaux, on procède comme s'il n'y avait pas de virgules. Pour placer la virgule dans le produit obtenu, on compte le nombre de chiffres se trouvant après la virgule dans les deux nombres qui ont été multipliés. Ainsi, si le premier nombre contient deux chiffres après la virgule et le second nombre un chiffre après la virgule, la virgule sera placée après le troisième chiffre du produit en partant de la droite vers la gauche.*

a)
$$\begin{array}{r} {}^{5\,2} \\ {}^{2\,1} \\ 57,3 \\ \times\ \ 7,4 \\ \hline {}^{1} \\ 2\ 292 \\ +\ 40\ 110 \\ \hline 424,02 \end{array}$$

b)
$$\begin{array}{r} {}^{1} \\ {}^{1\,2} \\ 8,48 \\ \times\ \ 2,3 \\ \hline {}^{1\,1} \\ 2\ 544 \\ +\ 16\ 960 \\ \hline 19,504 \end{array}$$

c)
$$\begin{array}{r} {}^{1\,4} \\ {}^{1\,5} \\ 9,29 \\ \times\ \ 5,6 \\ \hline {}^{1\,1\,1} \\ 5\ 574 \\ +\ 46\ 450 \\ \hline 52,024 \end{array}$$

d)
$$\begin{array}{r} {}^{3\,2} \\ {}^{1\,1\,1} \\ 68,25 \\ \times\ \ 4,2 \\ \hline 13\ 650 \\ +\ 273\ 000 \\ \hline 286,650 \end{array}$$

e)
$$\begin{array}{r} {}^{5\,6} \\ 105,7 \\ \times\ \ 9,1 \\ \hline 1\ 057 \\ +\ 95\ 130 \\ \hline 961,87 \end{array}$$

f)
$$\begin{array}{r} {}^{1}\ \ {}^{3} \\ 230,06 \\ \times\ \ 3,35 \\ \hline {}^{1\,1\,1\,1} \\ 115\ 030 \\ 690\ 180 \\ +\ 6\ 901\ 800 \\ \hline 770,7010 \end{array}$$

4. *Afin de résoudre les divisions de nombres décimaux, on procède comme s'il n'y avait pas de virgules. Pour situer la virgule dans le quotient obtenu, on compte le nombre de chiffres se trouvant après la virgule dans le nombre à diviser. Ainsi, si premier nombre affiche deux chiffres après la virgule, la virgule sera placée après le deuxième chiffre du quotient (de la droite vers la gauche).*

a)
```
  98,1 |3
 -9     32,7
  08
  -6
  21
 -21
   0
```

b)
```
 43,56 |2
 -4     21,78
  03
  -2
  15
 -14
  16
 -16
   0
```

c)
```
 642,95 |5
 -5      128,59
  14
 -10
  42
 -40
  29
 -25
  45
 -45
   0
```

d)
```
 1715,63 |7
 -14      245,09
  31
 -28
  35
 -35
  06
  -0
  63
 -63
   0
```

e)
```
 568,35 |9
 -54     63,15
  28
 -27
  13
  -9
  45
 -45
   0
```

f)
```
 588,42 |6
 -54     98,07
  48
 -48
  04
  -0
  42
 -42
   0
```

Page 56

5. *Lorsqu'on multiplie un nombre décimal par 10, on déplace la virgule d'un chiffre vers la droite. Lorsqu'on multiplie un nombre décimal par 100, on déplace la virgule de deux chiffres vers la droite. Lorsqu'on multiplie un nombre décimal par 1000, on déplacer la virgule de trois chiffres vers la droite. Lorsque la virgule dépasse les chiffres faisant partie du nombre, on ajoute un 0 pour chaque chiffre manquant. Par exemple, lorsqu'on multiplie 8,3 par 1000, on obtient 8300.*

Colonne 1 : a) 33 b) 203,4 c) 1500 d) 92,6 e) 436,5 f) 673 g) 70,4
Colonne 2 : a) 70 b) 52,4 c) 8300 d) 42,1 e) 29,9 f) 380 g) 80,3
Colonne 3 : a) 8240 b) 679,87 c) 5400,6 d) 41,9 e) 121,2 f) 74,67 g) 6200

6. *Lorsqu'on divise un nombre décimal par 10, on déplace la virgule d'un chiffre vers la gauche. Lorsqu'on divise un nombre décimal par 100, on déplace la virgule de deux chiffres vers la gauche. Lorsqu'on divise un nombre décimal par 1000, on déplace la virgule de trois chiffres vers la gauche. Lorsque la virgule dépasse les chiffres faisant partie du nombre, on ajoute un 0 pour chaque chiffre manquant, ainsi qu'un 0 devant la virgule. Par exemple, lorsqu'on divise 67,3 par 100, on obtient 0,673.*

Colonne 1 : a) 4,75 b) 0,039 c) 0,018 d) 0,237 e) 89,513 f) 0,643 g) 0,1
Colonne 2 : a) 8,95 b) 7,87 c) 5,68 d) 0,6 e) 0,673 f) 0,124 g) 0,3
Colonne 3 : a) 0,936 b) 23,45 c) 0,04 d) 0,08 e) 7,5 f) 4,44 g) 0,05

Page 57

7. *Voir page 35, n° 3. On doit aligner les virgules avant d'effectuer les équations. La position des millièmes correspond au 3ᵉ chiffre après la virgule, en allant vers la droite. La position des dixièmes correspond au 1ᵉʳ chiffre après la virgule, en allant vers la droite. La position des centièmes correspond au 2ᵉ chiffre après la virgule, en allant vers la droite.*

	+ 0,04	+ 0,6	+ 0,007	- 0,5	- 0,003	- 0,01
6,5	6,54	7,1	6,507	6	6,497	6,49
7,69	7,73	8,29	7,697	7,19	7,687	7,68
4,378	4,418	4,978	4,385	3,878	4,375	4,368
8,005	8,045	8,605	8,012	7,505	8,002	7,995
5,204	5,244	5,804	5,211	4,704	5,201	5,194
3,09	3,13	3,69	3,097	2,59	3,087	3,08
16	16,04	16,6	16,007	15,5	15,997	15,99
2,993	3,033	3,593	3	2,493	2,99	2,983

a) 3,033 – 3,593 – 2,493 – 2,983
b) 8,29 – 5,244 – 5,211 – 5,201
c) 6 – 6,507 – 8,605 – 7,505 – 8,002 – 5,804 – 4,704 – 5,201 – 16, 6 – 16,007 – 15,5 – 3

TEST 6.1
Page 58

1. *On multiplie d'abord le prix unitaire des langoustines par 2, puis le prix unitaire des légumes gratinés par 4. On multiplie ensuite le prix unitaire du saumon par 3, puis le prix unitaire des pâtes sauce rosée par 3. Ensuite on multiplie le prix unitaire de la crème brûlée par 6, puis on additionne tous les montants obtenus. La facture de la famille Lamer s'élèvera à 212,75 $.*

```
   1            32          1          31
 12,90        8,75       22,50      25,80
×    2      ×    4     ×    3       35,00
 25,80       35,00      67,50       67,50
  111          2                    46,05
 15,35        6,40               + 38,40
×    3      ×    6                 212,75
 46,05       38,40
```

2. *La longueur d'un côté de l'enclos est de 14,21 m. On doit diviser la mesure du périmètre par 4.*

```
 56,84 |4
 -4     14,21
  16
 -16
  08
  -8
  04
  -4
   0
```

3. *Il aura parcouru une distance de 5563,04 km. On doit multiplier la distance parcourue en une journée par 14.*

```
    3212
  397,36
×     14
   1111
  158 944
+ 397 360
 5 563,04
```

Page 59

4. *Marilyn a parcouru une distance de 81,25 m. Maximilien a parcouru une distance de 237,5 m. On multiplie la longueur de la pente par 0,65 pour trouver la distance parcourue par Marilyn. On multiplie la longueur de la pente par 1,9 pour trouver la distance parcourue par Maximilien.*

```
   13          24
   12         125
  125       ×  1,9
×  0,65     1 125
   1      + 1 250
  625       237,5
+ 7 500
  81,25
```

5. *Hélène devra débourser 223,33 $ avec sa carte de crédit. On additionne le prix de chaque vêtement pour ensuite multiplier la somme obtenue par 15 % (ou 0,15). Enfin, on additionne la somme obtenue et les taxes (15 % de cette somme) pour obtenir le montant total à payer.*

```
   22          421
  54,40      194,20
  54,40     ×  0,15
  36,90       11
+ 48,50      97 100
 194,20    + 194 200
            29,1300
   11
  194,20
+  29,13
  223,33
```

6. *Hugo aura parcouru la plus grande distance à la nage, soit 401,28 m. Son copain Nathan aura parcouru seulement 396,9 m. On multiplie la mesure de la longueur par 24 pour trouver la distance parcourue par Hugo et on multiplie la largeur par 35 pour trouver la distance parcourue par Nathan.*

```
   11          11
   22          12
  16,72      11,34
×   24       ×  35
   11          11
  6 688      5 670
+ 33 440   + 34 020
  401,28     396,90
```

Page 60

1. *Pour trouver les chiffres manquants, on doit y aller par déduction en portant une attention particulière aux retenues (additions et multiplications) et aux emprunts (soustractions et divisions). Aussi, on doit parfois utiliser l'opération contraire (additions ⇔ soustractions / multiplications ⇔ divisions).*

a)
```
  27,39
- 14,56
-------
  12,83
```

b)
```
  68,3
×    4
------
 273,2
```

c)
```
  36,88
÷     4
-------
   9,22
```

d)
```
  92,075
+  6,349
--------
  98,424
```

e)
```
  41,607
- 28,425
--------
  13,182
```

f)
```
  7,653
×     8
-------
 61,224
```

g)
```
  93,27
÷     3
-------
  31,09
```

h)
```
  15,482
+  9,528
--------
  25,010
```

2. a)
```
   1 1
  56,29
+230,88
-------
 287,17
```

b)
```
   8 5
  89,060
-  4,731
--------
  84,329
```

c)
```
  1 1 1 1
  427,510
+  78,994
---------
  506,504
```

d)
```
  6 12
  37,30
- 12,55
-------
  24,75
```

e)
```
  640,001
+  75,900
---------
  715,901
```

f)
```
  4 9 9 9
  500,00
- 239,73
--------
  260,27
```

g)
```
    1 1
  126,68
+ 359,70
--------
  486,38
```

h)
```
  2 12 12  2
  333,333
-  59,428
---------
  273,905
```

i)
```
   1 1 1
  684,30
+ 247,98
--------
  932,28
```

j)
```
  9 9 9 9
 10 000,0
-   999,9
---------
   9000,1
```

k)
```
    1 1
  732,58
+  96,60
--------
  829,18
```

l)
```
  4 11 14
  25,250
-  0,784
--------
  24,466
```

Page 61

3. *Lorsqu'on multiplie un nombre décimal par un nombre entier ou un autre nombre décimal, on doit tenir compte du nombre de chiffres après la virgule dans les 2 nombres multipliés. Par exemple : 9,7 x 3,5 = 33,95 (1 chiffre après la virgule + 1 chiffre après la virgule = 2 chiffres après la virgule). La position des millièmes correspond au 3ᵉ chiffre après la virgule, en allant vers la droite. La position des dixièmes correspond au 1ᵉʳ chiffre après la virgule, en allant vers la droite. La position des centièmes correspond au 2ᵉ chiffre après la virgule, en partant de la gauche vers la droite.*

	x 4	x 7	x 2	x 3,5	x 6,9	x 1,8
84	336	588	168	294	579,6	151,2
56	224	392	112	196	386,4	100,8
9,7	38,8	67,9	19,4	33,95	66,93	17,46
4,6	18,4	32,2	9,2	16,1	31,74	8,28
1,2	4,8	8,4	2,4	4,2	8,28	2,16
5,05	20,2	35,35	10,1	17,675	34,845	9,09
32,8	131,2	229,6	65,6	114,8	226,32	59,04
2,44	9,76	17,08	4,88	8,54	16,836	4,392

a) 17,675 ; 34,845 b) 31,74 ; 9,76 ; c) 226,32

Page 62

4. Panier 1 : 28,90 $ Panier 2 : 20,66 $
   Panier 3 : 20,89 $ Panier 4 : 40,90 $

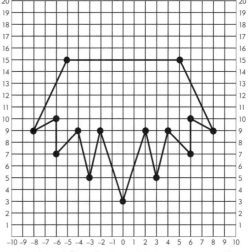

TEST 7
Page 63

1. *Les coordonnées sont des couples formés par la rencontre d'un point de l'axe des abscisses (axe horizontal) avec un point de l'axe des ordonnées (axe vertical). Pour marquer les coordonnées d'un point, on doit suivre la ligne horizontale (devant l'abscisse) et la ligne verticale (devant l'ordonnée), et ce, jusqu'à leur intersection. On doit ensuite relier les coordonnées entre elles dans l'ordre établi.*

Réponse : Le roi Dagobert a mis sa couronne à l'envers.

2. *Pour compléter l'axe, on débute par les données connues : le merle est à 0, puisqu'il est situé au centre ; le cardinal est à 1, puisqu'il est situé à droite du merle ; le geai bleu est à -1 et le goglu est à -2, puisque le geai bleu est situé entre le merle et le goglu ; le chardonneret est à -3, puisqu'il est situé à gauche du goglu ; le moineau est situé à 2 et l'hirondelle est située à 3, puisque le moineau est situé entre le cardinal et l'hirondelle ; la fauvette est à -4 et la grive est à 4, puisque la fauvette n'est pas située à côté de l'hirondelle et que la grive n'est pas située à côté du chardonneret.*

Page 64

1. *Pour trouver les coordonnées d'un point, on suit la ligne horizontale (l'abscisse) et la ligne verticale (l'ordonnée), et ce, jusqu'à ce que les lignes se coupent (intersection) donnant ainsi le point recherché. L'abscisse (position à l'horizontale) doit précéder l'ordonnée (position à la verticale) dans l'écriture de la coordonnée.*

A: (-9,4)	B: (-9,8)	C: (-6,13)	D: (-5,14)
E: (-4,15)	F: (-3,16)	G: (-1,17)	H: (-7,4)
I: (-7,7)	J: (-5,9)	K: (-5,6)	L: (-6,2)
M: (-3,11)	N: (-2,13)	O: (-1,7)	P: (-2,2)
Q: (-2,1)	AA: (9,4)	BB: (9,8)	CC: (6,13)
DD: (5,14)	EE: (4,15)	FF: (3,16)	GG: (1,17)
HH: (7,4)	II: (7,7)	JJ: (5,9)	KK: (5,6)
LL: (6,2)	MM: (3,11)	NN: (2,13)	OO: (1,7)
PP: (2,2)	QQ: (2,1)		

Page 65

2. *Lorsqu'un point se trouve dans le quadrant 1 (au-dessus de l'axe des abscisses et à droite de l'axe des ordonnées), ses coordonnées sont composées de nombres entiers positifs. Lorsqu'un point se trouve dans le quadrant 2 (au-dessus de l'axe des abscisses et à gauche de l'axe des ordonnées), ses coordonnées sont composées d'un nombre entier négatif suivi d'un nombre entier positif. Lorsqu'un point se trouve dans le quadrant 3 (au-dessous de l'axe des abscisses et à gauche de l'axe des ordonnées), ses coordonnées sont composées de deux nombres entiers négatifs. Lorsqu'un point se trouve dans le quadrant 4 (au-dessous de l'axe des abscisses et à droite de l'axe des ordonnées), ses coordonnées sont composées d'un nombre entier positif suivi d'un nombre entier négatif.*

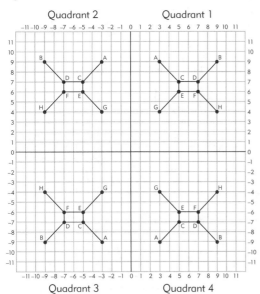

Coordonnées de la figure du quadrant 3 :

A: (-3, -9)	B: (-9, -9)	C: (-5, -7)	D: (-7, -7)
E: (-5, -6)	F: (-7, -6)	G: (-3, -4)	H: (-9, -4)

Coordonnées de la figure du quadrant 2 :

A: (-3, 9)	B: (-9, 9)	C: (-5, 7)	D: (-7, 7)
E: (-5, 6)	F: (-7, 6)	G: (-3, 4)	H: (-9, 4)

Coordonnées de la figure du quadrant 4 :

A: (3, -9)	B: (9, -9)	C: (5, -7)	D: (7, -7)
E: (5, -6)	F: (7, -6)	G: (3, -4)	H: (9, -4)

TEST 7.1
Page 66

1.

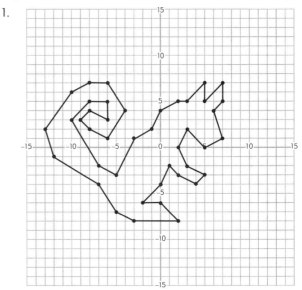

Réponse : L'animal dont Joëlle a pris soin est un écureuil.
Voir page 63, n° 1. Voir page 65, n° 2.

Page 67

1.

A: (-7, 12)	B: (-2, 10)	C: (-9, 7)	D: (-2, 2)
E: (-3, 0)	F: (-1, 1)	G: (-2, -1)	H: (0, -3)
I: (2, -2)	J: (4, -5)	K: (7, -2)	L: (9, -6)
M: (9, -4)	N: (11, -5)	O: (7, -6)	P: (8, -8)
Q: (-3, -3)	R: (-4, -6)	S: (-1, -8)	T: (1, -6)
U: (3, -9)	V: (2, -11)	W: (4, -12)	X: (6, -10)
Y: (8, -12)	Z: (5, -14)	AA: (3, -14)	

Voir page 64, n° 1. Voir aussi page 66, n° 1.

Page 68

2. *Pour compléter l'axe, on débute par les données connues : le lieutenant-général est à la position 4; le général est à la position 5, puisqu'il est juste à droite du lieutenant-général; le major-général est à la position 3 et le brigadier-général est à la position 2, puisque le major-général est entre le lieutenant-général et le brigadier-général; le colonel est à la position 1, puisqu'il est à gauche du brigadier-général; le lieutenant-colonel est à la position 0 et le major est à la position -1, puisque le lieutenant-colonel est entre le major et le colonel; le capitaine est à la position -2 et le lieutenant est à la position -3, puisque le capitaine est entre le lieutenant et le major; le sous-lieutenant est à la position -4 et l'élève-officier est à la position -5, puisque le sous-lieutenant est à droite de l'élève-officier.*

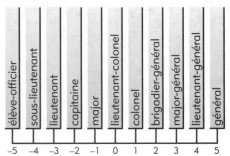

TEST 8
Page 69

1. Le développement d'un polyèdre est la représentation, sous forme d'assemblage, la plupart du temps, des figures qui constituent ce polyèdre.
   a) Dessiner 2 triangles + 3 rectangles
   b) Dessiner 2 carrés + 4 rectangles
   c) Dessiner 1 hexagone + 6 triangles
   d) Dessiner 2 pentagones + 3 carrés + 2 rectangles

2. Les sommets sont les points qui déterminent la rencontre de 3 arêtes. Les arêtes sont les segments qui sont déterminés par la rencontre de 2 faces. Les faces sont les surfaces planes ou courbes qui délimitent le polyèdre.
   a) $8 - 12 + 6 = 2$ b) $4 - 6 + 4 = 2$ c) $8 - 12 + 6 = 2$
   d) $5 - 8 + 5 = 2$ e) $6 - 9 + 5 = 2$ f) $10 - 15 + 7 = 2$

Page 70

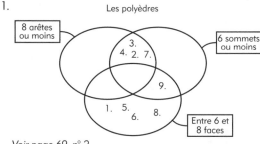

a)
b)
c)
d)
e)
f)
g)
h)

Voir page 69, n° 1.

TEST 8.1
Page 72

1.

Les polyèdres

8 arêtes ou moins | 6 sommets ou moins

3.
4. 2. 7.

9.

1. 5.
6. 8.

Entre 6 et 8 faces

Voir page 69, n° 2.

2. Le prisme à base carrée possède 6 faces : 2 carrés et 4 rectangles (on doit en colorier le double). La pyramide à base carrée possède 5 faces : 1 carré et 4 triangles (on doit en colorier le triple). Colorier en bleu 7 carrés, 8 rectangles et 12 triangles.

Page 73

1. Pour construire leur cabane, Rosalie et ses amies ont utilisé 1 pyramide à base triangulaire, 1 cube et 1 prisme à base triangulaire. *On doit procéder par déduction en se référant aux types de figures et à leur nombre.*

2. Pour préparer leurs sucettes glacées, Lori et Nathan ont utilisé un moule en forme de cube, un en forme de pyramide à base carrée, un en forme de prisme à base triangulaire et un autre en forme de prisme à base carrée. *Voir numéro précédent.*

Page 71

2. *La relation d'Euler établit que le nombre de sommets moins le nombre d'arêtes plus le nombre de faces d'un polyèdre donne toujours 2.*

3. a) $12 - 18 + 8 = 2$
   b) $6 - 12 + 8 = 2$
   c) $10 - 15 + 7 = 2$
   d) $8 - 18 + 12 = 2$
   e) $8 - 12 + 6 = 2$
   Le prisme à base carré possède 8 sommets, 12 arêtes et 6 faces (on doit multiplier par 3). Le prisme à base triangulaire possède 6 sommets, 9 arêtes et 5 faces (on doit multiplier par 2). La pyramide à base rectangulaire possède 5 sommets, 8 arêtes et 5 faces.

La maquette d'Émilie comporterait 41 sommets, 62 arêtes et 33 faces.

3. La réplique fabriquée par Réginald et Violette comporte 120 sommets, 180 arêtes et 92 faces en tout.
Le prisme à base rectangulaire possède 8 sommets, 12 arêtes et 6 faces (on doit multiplier par 4). Le prisme à base carrée possède 8 sommets, 12 arêtes et 6 faces (on doit multiplier par 6). Le prisme à base hexagonale possède 12 sommets, 18 arêtes et 8 faces (on doit multiplier par 2). La pyramide à base triangulaire possède 4 sommets, 6 arêtes et 4 faces (on doit multiplier par 4). On doit additionner le nombre de sommets, puis le nombre d'arêtes et enfin le nombre de faces.

Page 74

4. On doit procéder par déduction en se référant aux sommets, arêtes et faces déjà présentes dans les illustrations.

a) prisme à base triangulaire

b) prisme à base rectangulaire

c) pyramide à base rectangulaire

d) prisme à base pentagonale

e) cube

f) pyramide à base triangulaire
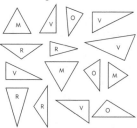

TEST 9
Page 75

1. Le triangle rectangle possède 1 angle qui mesure 90° (angle droit). Le triangle équilatéral possède 3 angles congrus et 3 côtés congrus. Le triangle isocèle possède 2 angles congrus et 2 côtés congrus. Le triangle scalène possède des angles non congrus et des côtés non congrus.

Légende :
V = vert;
M = mauve;
R = rose;
O = orangé

2. Un angle droit mesure exactement 90°. Un angle aigu mesure entre 1° et 89°. Un angle obtus mesure entre 91° et 179°.

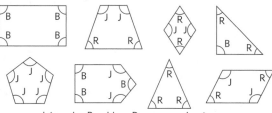

Légende : B = bleu ; R = rouge ; J = jaune

Page 76

3. Les angles sont des figures formées par 2 segments ayant la même origine et se mesurent en degrés (°) à l'aide d'un rapporteur. Pour mesurer à l'aide du rapporteur, on doit placer le point central de la base horizontale de l'instrument sur l'un des segments de l'angle (celui du bas par rapport à l'autre), puis suivre l'autre segment de l'angle jusqu'à la mesure indiquée sur le pourtour de l'instrument.

a) ∠A = 65 degrés; ∠B = 25 degrés; ∠C = 90 degrés
b) ∠A = 60 degrés; ∠B = 60 degrés; ∠C = 60 degrés
c) ∠A = 45 degrés; ∠B = 105 degrés; ∠C = 30 degrés

4. *Dans un cercle, le rayon est un segment qui relie le centre du cercle à un point quelconque de ce cercle, le diamètre est un segment qui sépare symétriquement le cercle en passant par son centre et la circonférence est le pourtour ou le périmètre du cercle.*

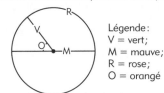

Légende :
V = vert ;
M = mauve ;
R = rose ;
O = orangé

Page 77

1. *Voir page 75, n° 1. L'usage de la règle et du rapporteur est fortement conseillé.*
   a) Accepter toute illustration de triangle scalène.
   Mes côtés sont non congrus.
   Mes angles sont non congrus.
   b) Accepter toute illustration de triangle équilatéral.
   Mes côtés sont congrus.
   Mes angles sont congrus.
   c) Accepter toute illustration de triangle rectangle.
   Je possède un angle droit.
   Je possède deux angles aigus.
   d) Accepter toute illustration de triangle isocèle.
   Je possède une paire de côtés congrus.
   Je possède une paire d'angles congrus.

Page 78

2. *Un angle aigu mesure entre 1° et 89°. Un angle droit mesure exactement 90°. Un angle obtus mesure entre 91° et 179°. Un angle plat doit mesurer exactement 180°.*
   a) Accepter tout angle mesurant moins de 90 degrés.
   b) Accepter tout angle mesurant exactement 90 degrés.
   c) Accepter tout angle mesurant entre 91 et 179 degrés.
   d) Accepter tout angle mesurant exactement 180 degrés.
3. *Voir page 76, n° 3.*
a) 70 degrés	b) 25 degrés	c) 90 degrés
d) 140 degrés	e) 105 degrés	f) 45 degrés

Page 79

4. *La somme de la mesure des angles du triangle est toujours 180. On doit donc soustraire de ce total la somme des 2 angles dont on connaît déjà la mesure pour découvrir celle du troisième angle.*
   a) 60 + 60 = 120 → 180 − 120 = 60°
   b) 70 + 35 = 105 → 180 − 115 = 75°
   c) 75 + 35 = 110 → 180 − 110 = 70°
   d) 90 + 35 = 125 → 180 − 125 = 55°
   e) 90 + 65 = 155 → 180 − 155 = 25°
   f) 50 + 50 = 100 → 180 − 100 = 80°
   g) 45 + 25 = 70 → 180 − 70 = 110°
   h) 140 + 20 = 160 → 180 − 160 = 20°

Page 80

5. Le pendule doit former un angle de 150 degrés afin d'hypnotiser Bruno.

   Pour calculer l'angle du pendule, on multiplie la mesure initiale de l'angle par 6 : 25 x 6 = 150°

6. La balançoire de Josiane formera un angle de 120 degrés après cette poussée.

   Pour calculer l'angle formé par la balançoire, on multiplie la mesure initiale de l'angle par 1,5 : 80° x 1,5 = 120°

7. *Pour trouver le rayon de la roue arrière, on convertit d'abord les mètres en centimètres : 1,2 m = 120 cm. Ensuite, on multiplie ce nombre par 6, puis on divise le produit obtenu par 10 : 120 cm x 6 = 720 cm; 720 cm ÷ 10 = 72 cm.*
   Le rayon de la roue arrière du vélocipède mesure 72 cm.

TEST 9.1
Page 81
1. *Voir page 75, n° 1.*
   Triangles scalènes 4 – 7; Triangles isocèles 1 – 6 – 9;
   Triangles rectangles 2 – 5 – 8; Triangles équilatéraux 3 – 10.
2. *Voir page 76, n° 3. L'angle au centre est un angle dont le sommet est situé au centre du cercle. L'usage de la règle et du rapporteur est fortement conseillé.*
   a) 55 degrés   b) 120 degrés   c) 170 degrés   d) 225 degrés

Page 82
3. a) Le rayon mesure 3 cm et le diamètre 6 cm.
   On doit multiplier par 10 et convertir en mètres.

   b) Le rayon mesure 2 cm et le diamètre 4 cm.
   On doit multiplier par 100 et convertir en décimètres.

   c) Le rayon mesure 2,5 cm et le diamètre 5 cm.
   On doit multiplier par 5 et laisser en centimètres.

   d) Le rayon mesure 1,75 cm et le diamètre 3,5 cm.
   On doit multiplier par 3 et convertir en millimètres.

   e) Le rayon mesure 1,2 cm et le diamètre mesure 2,4 cm.
   On doit multiplier par 4 et convertir en décimètres.

   f) Le rayon mesure 3,5 cm et le diamètre 7 cm.
   On doit multiplier par 10 et laisser en centimètres.

Page 83
1. *Voir page 75, n° 1. L'usage de la règle et du rapporteur est fortement conseillé.*

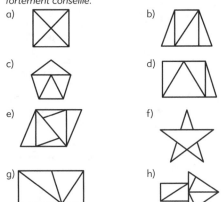

Page 84
2. *Voir page 76, n° 3.*

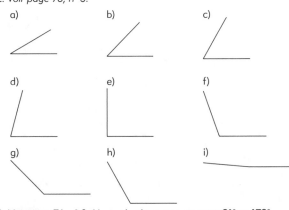

3. *Voir page 76, n° 3. Un angle obtus mesure entre 91° et 179°. Un angle droit mesure exactement 90°. Un angle aigu mesure entre 1° et 89°.*
   a) Accepter tous les angles mesurant entre 91 et 179 degrés.
   b) Accepter tous les angles mesurant exactement 90 degrés.
   c) Accepter tous les angles mesurant entre 0 et 89 degrés.

Page 85

4. *Sachant que la somme de la mesure des angles d'un quadrilatère est égale à 360°, on soustrait pour trouver les mesures manquantes.*

a) ∠D = 90 degrés
Chaque angle d'un carré mesure 90°.
On a donc 90° + 90° + 90° = 270° → 360° − 270° = 90°

b) ∠F = 90 degrés et ∠H = 90 degrés
Chaque angle d'un rectangle mesure 90°.

c) ∠J = 115 degrés et ∠K = 65 degrés
Dans un losange, les angles opposés sont congrus.

d) ∠M = 90 degrés et ∠O = 45 degrés
Un trapèze rectangle possède 2 angles droits :
90° + 90° + 135° = 315° → 360° − 315° = 45°

e) ∠Q = 115 degrés, ∠R = 115 degrés et ∠T = 65 degrés
Un trapèze isocèle possède 2 paires d'angles congrus. L'une des paires est composée d'angles aigus et l'autre paire d'angles obtus. La somme de l'angle aigu et de l'angle obtus est de 180° (on dit alors que ce sont des angles supplémentaires).
180° − 65 ° = 115°.

f) ∠U = 110 degrés, ∠V = 70 degrés et ∠W = 110 degrés
Dans un parallélogramme, les angles opposés (ceux qui ne partagent aucun segment) sont congrus, et les angles adjacents (ceux qui partagent un segment) sont supplémentaires (la somme de leur mesure est égale 180°). 180° − 70° = 110°.

Page 86

5. a) Rayon : 0,045 m
Diamètre : 0,09 m

Le rayon mesure 2,25 cm et le diamètre 4,5 cm. On doit multiplier par 2 et convertir en mètres.

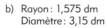

b) Rayon : 1,575 dm
Diamètre : 3,15 dm

Le rayon mesure 2,25 cm et le diamètre 4,5 cm. On doit multiplier par 7 et convertir en décimètres.

c) Rayon : 26 cm
Diamètre : 52 cm

Le rayon mesure 3,25 cm et le diamètre 6, 5 cm. On doit multiplier par 8 et laisser en centimètres.

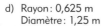

d) Rayon : 0,625 m
Diamètre : 1,25 m

Le rayon mesure 1,25 cm et le diamètre 2,5 cm. On doit multiplier par 50 et convertir en mètres.

e) Rayon : 9,375 dm
Diamètre : 18,75 dm

Le rayon mesure 3,75 cm et le diamètre 7,5 cm. On doit multiplier par 25 et convertir en décimètres.

f) Rayon : 0,8 m
Diamètre : 1,6 m

Le rayon mesure 4 cm et le diamètre 8 cm. On doit multiplier par 20 et convertir en mètres.

TEST 10
Page 87

1. *Pour reproduire une frise par translation, on déplace le motif dans la direction demandée sans en changer l'aspect. L'usage du papier-calque et du rapporteur d'angles est fortement conseillé.*
3 h = angle de 90° vers la droite par rapport à la verticale ;
4 h = angle de 120° vers la droite par rapport à la verticale ;
6 h = angles de 180° vers la droite par rapport à la verticale ;
2 h = angle de 60° vers la droite par rapport à la verticale.

a)

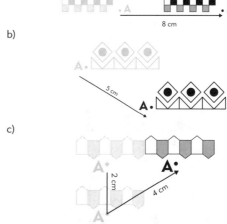

b)

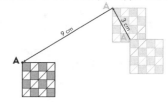

c)

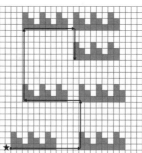

2. *Pour reproduire un dallage par translation, on déplace le motif dans une direction à la fois sans en changer l'aspect. L'usage du papier-calque et du rapporteur d'angles est fortement conseillé.*
11 h = angle de 330° vers la droite par rapport à la verticale ;
8 h = angle de 240° vers la droite par rapport à la verticale.

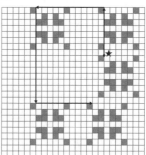

Page 88

1. *Voir page 87, n° 1.*

Page 89

2. *Voir page 89, n° 2.*

TEST 10.1
Page 90

1. Voir page 87, n° 1. 10 h = angle de 300° vers la droite par rapport à la verticale ; 12 h = angle de 0° par rapport à la verticale ; 3 h = angle de 90° vers la droite par rapport à la verticale ; 4 h = angle de 120° vers la droite par rapport à la verticale.

a)

b)

c)

2. Voir page 87, n° 2. 2 h = 60° vers la droite par rapport à la verticale ; 6 h = angle de 120° vers la droite par rapport à la verticale.

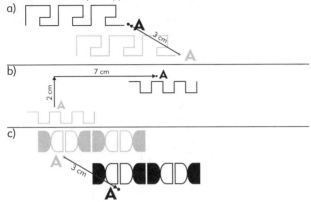

Page 91

1. Voir page 87, n° 1. 3 h = angle de 90° vers la droite par rapport à la verticale ; 6 h = angle de 120° vers la droite par rapport à la verticale ; 8 h = angle de 240° vers la droite par rapport à la verticale ; 5 h = angle de 150° vers la droite par rapport à la verticale ; 1 h = angle de 30° vers la droite par rapport à la verticale.

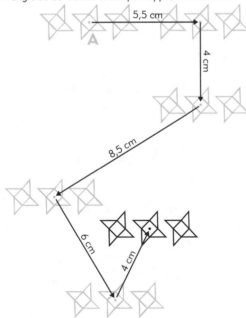

Page 92

Voir page 87, n° 2. 6 h = angle de 180° vers la droite par rapport à la verticale ; 9 h = angle de 270° vers la droite par rapport à la verticale ; 12 h = angle de 0° par rapport à la verticale ; 4 h = angle de 120° vers la droite par rapport à la verticale

2.

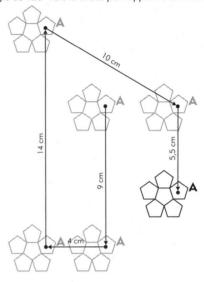

TEST 11
Page 93

1. Pour comparer des mesures exprimées avec des unités de mesure différentes, on doit convertir chaque mesure en utilisant le tableau du Système international. Lorsqu'on se déplace vers la droite, on multiplie par 10 (et on déplace la virgule vers la gauche). Lorsqu'on se déplace vers la gauche, on divise par 10 (et on déplace la virgule vers la droite). Par exemple, pour comparer 6,32 km à 6 320 m :

kilomètre	hectomètre	décamètre	mètre	décimètre	centimètre	millimètre
6	3	2	0	0	0	0
6	3	2	0	0	0	0

Le chiffre représentant les unités dans la mesure doit être placé sous l'unité de mesure adéquate. Le chiffre des dizaines est placé dans la case de l'unité précédente, etc. Tous les chiffres manquants peuvent être remplacés par des 0. Les mesures 6,32 km et 6320 mètres sont donc égales. Le symbole < signifie « est plus petit que ». Le symbole > signifie « est plus grand que ». Le symbole = signifie « est égal à ».
a) = b) > c) < d) = e) > f) < g) < h) = i) > j) < k) = l) >

2. L'ordre décroissant consiste à placer les nombres dans un ordre qui va du plus grand au plus petit. On doit convertir chaque mesure en utilisant le tableau du Système international.
23,15 km ; 1,532 km ; 2135 dm ; 5312 cm ; 521,3 dm ; 31,52 m ; 251,3 dm ; 13,25 m ; 5123 mm ; 215,3 cm ; 1235 mm ; 25,31 cm

3. Pour mesurer la longueur de chaque paille, on place la ligne qui correspond à 0 sur la règle, exactement au début de l'image de la paille. On inscrit ensuite la mesure obtenue au bout de cette image sur la règle. On doit convertir chaque mesure en utilisant le tableau du Système international.
a) 0,15 m ; b) 0,75 dm ; c) 105 mm ; d) 6 cm ; e) 0,08 m ; f) 1,45 dm

Page 94

1. *Puisque l'enclos des animaux est à l'échelle $\frac{1}{100}$, on divise les mesures indiquées par 100, puis on convertit les unités de mesure en centimètres en utilisant le tableau du Système international.*

   Rappel : le carré possède 4 angles congrus et 4 côtés congrus, et le rectangle possède 2 paires de côtés congrus et 4 angles congrus.

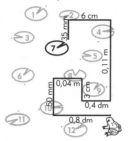

Page 95

2. *Avant de tracer les traits du trajet parcouru par la grenouille, on convertit en cm les unités de mesure en utilisant le tableau du Système international. Voir page 93, n° 1 et n° 3.*

   0,8 dm = 8 cm
   50 mm = 5 cm
   0,04 m = 4 cm
   3 cm = 3 cm
   0,4 dm = 4 cm
   0,11 m = 11 cm
   6 cm = 6 cm
   35 mm = 3,5 cm

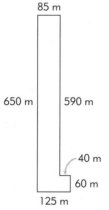

Le nénuphar n° 7 devrait être colorié en vert.

TEST 11.1
Page 96

1. Le périmètre du terrain des Johnson est de 1,55 km.

   Pour trouver le périmètre du terrain, on additionne les mesures de chaque côté. Puisqu'un polygone en forme de L possède 6 côtés, on devine les mesures manquantes en illustrant l'enclos :

   $650 + 85 + 125 + 60 + 40 + 590 = 1550$

2. Chaque membre de l'équipe devra nager 4500 m.
   Pour trouver la distance que chaque membre doit parcourir, on divise le parcours par 8 (36 ÷ 8 = 4,5). On convertit ensuite les kilomètres en mètres en utilisant le tableau du Système international.

3. Sa hauteur est de 5,45 dm et son diamètre est de 1,55 dm.
   Pour trouver les dimensions du modèle réduit, on divise d'abord sa hauteur et son diamètre par 100 (54,5 ÷ 100 = 0,545 et 15,5 ÷ 100 = 0,155). On convertit ensuite les mètres en décimètres en utilisant le tableau du Système international.

Page 97

1. *Avant d'additionner ou de soustraire les mesures de longueur, on convertit dans la même unité de mesure en utilisant le tableau du Système international. Voir page 93, n° 1.*
   a) 15 m = 1500 cm et 42 dm = 420 cm
      → 1500 cm + 420 cm = 1920 cm
   b) 89 cm = 890 mm et 6 dm = 600 mm
      → 890 mm – 600 mm = 290 mm
   c) 37 cm = 0,37 m et 8,2 m = 0,82 m
      → 0,37 m + 0,82 m = 1,19 m
   d) 0,05 km = 500 dm et 19 m = 190 dm
      → 500 dm – 190 dm = 310 dm
   e) 4,6 m = 4600 mm et 95 cm = 950 mm
      → 4600 mm – 950 mm = 3650 mm

f) 2500 mm = 250 cm et 7,2 m = 720 cm
   → 250 cm + 720 cm = 970 cm
g) 10 m = 100 dm et 560 mm = 5,6 dm
   → 100 dm – 5,6 dm = 94,4 dm
h) 2,39 m = 239 cm et 17,3 dm = 173 cm
   → 239 cm + 173 cm = 412 cm

2. *Avant de placer les mesures de longueur, on doit convertir les unités de mesure en utilisant le tableau du Système international. Voir page 93, n° 1.*

78 dm = 7,8 m	654 cm = 6,54 m	0,05 km = 50 m
36 cm = 0,36 m	475 mm = 0,475 m	361 dm = 36,1 m
8,4 dm = 0,84 m	2913 mm = 2,913 m	45 839 mm = 45,839 m
7426 cm = 74,26 m	0,9 m = 0,9 m	0,003 km = 3 m

Entre 0 m et 0,999 m : 36 cm ; 475 mm ; 8,4 dm ; 0,9 m.
Entre 1 m et 9,999 m : 78 dm ; 654 cm ; 2913 mm ; 0,003 km.
Entre 10 m et 99,999 m : 0,05 km ; 361 dm ; 45 839 mm ; 7426 cm.

3. *On cherche le produit ou le quotient des équations pour ensuite convertir les unités de mesure en utilisant le tableau du Système international. Voir page 93, n° 1.*
   a) 53 cm x 7 = 371 cm → 371 cm = 37,1 dm
   b) 450 mm ÷ 9 = 50 mm → 50 mm = 5 cm
   c) 72 m ÷ 9 = 8 m → 8 m = 800 cm
   d) 13 mm x 20 = 260 mm → 260 mm = 2,6 dm
   e) 0,06 km x 3 = 0,18 km → 0,18 km = 180 m
   f) 28 cm ÷ 4 = 7 cm → 7 cm = 70 mm
   g) 3 km ÷ 60 = 0,05 km → 0,05 km = 500 dm
   h) 4,6 m x 35 = 161 m → 161 m = 16 100 cm

Page 98

4. *L'ordre croissant consiste à placer les nombres du plus petit au plus grand. Avant de relier les points, on convertit les mesures en millimètres en utilisant le tableau du Système international.*

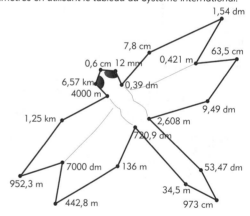

TEST 12
Page 99

1. La mesure de la surface de la palestre de l'école des Champions est de 216 m².
   Pour trouver la mesure de la surface de la palestre, on multiplie sa longueur par sa largeur : 18 x 12.

2. La mesure de la surface de la boîte de céréales dépliée est de 3300 cm².
   Pour trouver la mesure de la surface de la boîte de céréales dépliée, on multiplie la longueur par la largeur pour chaque rectangle, puis on additionne ensemble tous les produits obtenus :
   2 x (40 x 25) + 2 x (25 x 10) + 2 x (40 x 10) =
   (2 x 1000) + (2 x 250) + (2 x 400) = 2000 + 500 + 800.

3. La mesure de la surface des 3 enclos mis bout à bout est de 252 dm².
   Pour trouver la mesure de la surface totale des enclos, on multiplie la longueur par la largeur pour chaque enclos, puis on additionne ensemble tous les produits obtenus : (7 x 7) + (16 x 8) + (15 x 5) = 49 + 128 + 75.

Page 100

1. *Pour calculer l'air d'un carré ou d'un rectangle, on multiplie la mesure de la longueur par celle de la largeur. Dans le cas d'un triangle rectangle, on effectue le même calcul, puis on divise par 2 le produit obtenu.*

a)
$$\begin{array}{r} \overset{4}{3,6} \\ \times\ 1,8 \\ \hline 288 \\ +\ 360 \\ \hline 6,48 \end{array}$$

b)
$$\begin{array}{r} \overset{3}{\underset{2}{}} \\ 7,5 \\ \times\ 7,5 \\ \hline 375 \\ +\ 5\,250 \\ \hline 56,25 \end{array}$$

c)
$$\begin{array}{r} 0,9 \\ \times\ 0,3 \\ \hline 27 \\ +\ \ 0 \\ \hline 0,27 \end{array}$$

d) $4 \times 4 = 16$
$16 \times 3 = 48$

e) $5 \times 8 = 40$
$40 \times 4 = 160$

f) $5 \times 15 = 75$
$75 \div 2 = 37,5$

$$\begin{array}{r|l} 75 & \underline{2} \\ -6 & 37,5 \\ \hline 15 & \\ -14 & \\ \hline 10 & \\ -10 & \\ \hline 0 & \end{array}$$

g) $3 \times 3 = 9$

$$\begin{array}{r} \overset{2}{1,5} \\ \times\ \underset{1}{1,5} \\ \hline 75 \\ +\ 150 \\ \hline 2,25 \end{array} \qquad \begin{array}{r} 2,25 \\ +\ 9,00 \\ \hline 11,25 \end{array}$$

h) $4 \times 4 = 16$
$4 \times 4 \div 2 = 8$
$16 + 8 = 24$

Page 101

2. a) On convertit d'abord les m en dm : 6 m = 60 dm et 4 m = 40 dm. On multiplie ensuite la longueur par la largeur : 60 dm x 40 dm = **2400 dm²**.

b) On convertit d'abord les m en dm : chambre 1 → 4 m = 40 dm ; chambres 2 et 3 : 3 m = 30 dm et 4 m = 40 dm. On multiplie ensuite la longueur par la largeur pour obtenir la superficie de chaque chambre : 40 dm x 40 dm = 1600 dm² ; 30 dm x 40 dm = 1200 dm² ; 30 dm x 40 dm = 1200 dm². Puis on additionne les superficies des trois chambres : 1400 dm² + 1200 dm² + 1200 dm² = **4000 dm²**.

c) On convertit d'abord les m en dm : cuisine → 2,5 m = 25 dm et 4 m = 40 dm ; rangement : 2,5 m = 25 dm et 2 m = 20 dm. On multiplie ensuite la longueur par la largeur pour obtenir la superficie de chaque pièce : cuisine → 25 dm x 40 dm = 1000 dm² ; rangement : 25 dm x 20 dm = 500 dm². Puis on soustrait la superficie du rangement de celle de la cuisine : 1000 dm² – 500 dm² = **500 dm²**.

d) On multiplie d'abord la longueur par la largeur pour obtenir la superficie de chaque pièce : cuisine → 2,5 m x 4 m = 10 m² ; salle à manger → 5 m x 4 m = 20 m² ; salle de bain → 2,5 m x 4 m = 10 m² ; chambre 1 → 4 m x 4 m = 16 m² ; rangement → 2,5 m x 2 m = 5 m² ; passage → 11,5 m x 2 m = 23 m² ; salon → 6 m x 4 m = 24 m² ; vestibule → 2 m x 4 m = 8 m² ; chambre 2 → 3 m x 4 m = 12 m² ; chambre 3 → 3 m x 4 m = 12 m². On additionne ensuite les superficies des pièces pour obtenir la superficie totale de la maison :
10 m² + 20 m² + 10 m² + 16 m² + 5 m² + 23 m² + 24 m² + 8 m² + 12 m² + 12 m² = **140 m²**.

TEST 12.1
Page 102

1. La différence entre les mesures de l'aire de la surface des patinoires nord-américaines et européennes est de 305 m².
Pour trouver la différence entre l'aire de la surface des patinoires, on calcule d'abord l'aire de chaque patinoire, puis on soustrait l'aire de la patinoire américaine à celle de la patinoire russe.
61 m x 26 m = 1586 m²
61 m x 31 m = 1891 m²
1891 m² – 1586 m² = 305 m²

2. La courtepointe confectionnée par Valérie et Chloé aura une surface de 345,96 dm².
Pour trouver quelle surface la courtepointe recouvrira, on calcule d'abord l'aire de chacune des 5 pièces de tissu, puis on les additionne ensemble.
6,2 dm x 9,3 dm = 57,66 dm²
6,2 dm x 12,4 dm = 76,88 dm²
57,66 dm² x 2 = 115,32 dm²
76,88 dm² x 3 = 230,64 dm²
115,32 dm² + 230,64 dm² = 345,96 dm²

3. La superficie du Luxembourg arrondie à la centaine près est de 2 600 km².
Pour trouver la superficie du Luxembourg, on multiplie les mesures des côtés perpendiculaires du triangle rectangle, puis on divise le produit obtenu par 2 (le triangle rectangle s'étend sur une surface égale à la moitié d'un rectangle) et par 25. On arrondit ensuite à la centaine près.
500 km x 260 km = 130 000 km²
130 000 km² ÷ 2 = 65 000 km²
65 000 km² ÷ 25 = 2600 km²

Page 103

1. *On convertit les mesures en utilisant le tableau du Système international.*

a) 27 mm = 2,7 cm → 2,7 x 2,7 = 7,29 cm²
b) 5,7 dm = 57 cm → 57 x 19 = 1083 cm²
c) 4 m = 40 dm, 1 m = 10 dm et 3 m = 30 dm → 2 x 40 x 10 = 800 et 30 x 60 = 1800 → 800 + 1800 = 2600 dm²
d) 200 mm = 20 cm → 20 x 12 = 240 et 4 x 12 = 48 → 240 + 48 = 288 cm²
e) 9 dm = 0,9 m → 0,9 x 0,9 et 0,9 x 0,9 → 0,81 + 0,81 = 1,62 m²
f) 4 m = 40 dm → 40 x 40 = 1 600 et 20 x 40 = 800 → 1600 + 800 = 2400 dm²
g) 280 mm = 2,8 dm → 4 x 2,8 x 7 = 78,4 dm²
h) 8 x 8 = 64 : 4 x 4 = 16 et 6 x 6 = 36 → 64 + 16 + 36 = 116 cm²

Page 104

2. *Pour calculer la superficie, on multiplie la longueur par la largeur. Pour calculer le périmètre, on additionne les mesures des côtés. Les dimensions d'un espace se traduisent par la longueur sur la largeur.*

a) 32,5 x 19,5 = 663,75 m²
b) 39 x 13 = 507 m²
c) 2 x (32,5 – 19,5) + 2 x (338 ÷ 13) = (2 x 13) + (2 x 26) = 26 + 52 = 78 m²
d) (19,5 + 26 – 26) ÷ 26 = 0,75 m²
e) (26 – 19,5 + 13) x 19,5 ÷ 2 = 19,5 x 19,5 ÷ 2 = 190,125 m²
f) (32,5 + 26) x (26 + 19,5 + 13) = 58,5 x 58,5 = 3422,25 m²

TEST 13
Page 105

1. Le volume du bassin est de 2550 m³.
Pour trouver le volume du bassin, on multiplie la longueur par la largeur et par la hauteur (25 x 17 x 6).

2. Adélaïde peut ranger 60 blocs dans un boîtier.
Pour trouver le nombre de blocs qu'Adélaïde peut ranger dans un boîtier, on multiplie la longueur par la largeur et par la hauteur (5 x 4 x 3).

3. Le volume de la mallette de chaque astronaute est de 8832 cm³.
Pour calculer le volume de la mallette, on multiplie la longueur par la largeur et par la hauteur (46 x 24 x 8).

Page 106

1. *Pour calculer le volume de chaque coffre-fort, on applique la formule suivante : longueur x largeur x profondeur.*

a) 5 dm x 5 dm x 7 dm = 175 dm³
b) 25 cm x 40 cm x 35 cm = 35 000 dm³
c) 2,5 m x 4 m x 2 m = 20 m³
d) 15 mm x 10 mm x 30 mm = 4500 mm³
e) 6,4 dm x 6 dm x 6 dm = 230,4 dm³
f) 33 cm x 9 cm x 16 cm = 4752 cm³
g) 1,7 m x 3 m x 2,8 m = 14,28 m³
h) 30 mm x 30 mm x 30 mm = 27 000 mm³
i) 27 dm x 12,25 dm x 11 dm = 3638,25 dm³
j) 38,9 cm x 20 cm x 15 cm = 11 670 cm³

Page 107

2. *Avant de calculer le volume de chaque boîte, on convertit les unités de mesure en utilisant le tableau du Système international. Pour calculer le volume, on multiplie la longueur par la largeur et par la hauteur.*

a) 10 x 20 x 5 = 1000 cm³
b) 9 x 17 x 4 = 612 cm³
c) 1,8 x 2,5 x 3 = 13,5 dm³
d) 14 x 25 x 6 = 2100 cm³
e) 13 x 19,5 x 8 = 2028 cm³
f) 2,1 x 2,5 x 2 = 10,5 dm³

g) 0,45 x 0,6 x 0,2 = 0,054 m³
h) 38 x 23 x 15 = 13 110 cm³
i) 3 x 4 x 0,85 = 10,2 dm³
j) 40 x 65 x 15 = 39 000 cm³

TEST 13.1
Page 108
1. Le volume du hangar est de 90 000 m³.
   Pour calculer le volume du hangar, on multiplie la longueur par la largeur et par la hauteur (150 x 40 x 15).
2. La première bonbonnière contient 200 bonbons.
   La deuxième bonbonnière contient 196 bonbons.
   La troisième bonbonnière contient 180 bonbons.
   Pour calculer le nombre de bonbons contenus dans chaque bonbonnière, on doit trouver le volume de chacune en multipliant la longueur par la largeur et par la hauteur (8 x 5 x 5; 7 x 4 x 7; 12 x 3 x 5).
3. Le volume du coffre à bijoux de Laurence est de 959,04 cm³.
   Pour calculer le volume du coffre à bijoux, on convertit d'abord les unités de mesure en utilisant le tableau du Système international, puis on multiplie la longueur par la largeur et par la hauteur (12 x 10,8 x 7,4).

Page 109
1. *Pour calculer le volume de chaque assemblage, on multiplie la longueur par la largeur et par la hauteur pour chaque cube, prisme à base carrée ou prisme à base rectangulaire qui le compose. On additionne ensuite ensemble les volumes obtenus.*
   a) (4 x 8 x 4) + (4 x 4 x 4) = 192 cm³
   b) (6 x 4 x 5) + (4 x 6 x 5) = 240 cm³
   c) (1,5 x 1,5 x 6) + (3 x 3 x 6) + (1,5 x 1,5 x 6) = 81 cm³
   d) (2 x 6 x 7) + (2 x 4 x 7) + (2 x 2 x 7) = 168 cm³
   e) (2,5 x 2,5 x 7,5) + (4,5 x 2,5 x 7,5) = 131,25 cm³
   f) (6 x 9 x 6) + (3 x 3 x 6) + (6 x 9 x 6) = 702 cm³
   g) (3 x 2 x 10) + (4 x 5 x 10) = 260 cm³
   h) (6 x 4 x 8) + (18 x 10 x 8) = 1632 cm³

Page 110
2. *Voir page 109, n° 1. On convertit les unités de mesure en utilisant le tableau du Système international.*
   a) 3,5 x 3,5 x 4 = 49 cm³
   b) (2 x 4 x 5) + (4 x 1 x 5) = 60 dm³
   c) (2 x 5 x 3) + (3 x 2 x 3) = 48 m³
   d) (18 x 6 x 9) + (6 x 12 x 9) + (6 x 6 x 9) = 1944 m³
   e) (32 x 4 x 6) + (8 x 12 x 6) + (10 x 8 x 6) + (4 x 4 x 6) + (4 x 10 x 6) = 2160 dm³

TEST 14
Page 111
1. La citerne peut contenir 2400 litres de sève d'érable.
   Pour calculer la capacité d'une citerne, on multiplie le nombre de litres contenu dans un récipient (2) par le nombre de récipients (48), puis on multiplie ce produit par le nombre de tonneaux (25).
2. Jeanne et Lucille auront besoin de 5205 ml de cannelle et de 1 735 ml de muscade.
   Pour calculer la quantité d'épices que Jeanne et Lucille auront besoin, on multiplie chaque mesure par le nombre de gâteaux → cannelle : 3 cuillers x 5 ml x 347 / muscade : 1 cuiller x 5 ml x 347.
3. Nancy aura besoin de 2040 ml de jus pour servir des cocktails à ses 12 invités.
   Pour calculer la quantité de jus dont Nancy aura besoin, on multiplie chaque mesure par 12, puis on additionne ensemble tous les produits obtenus → (60 ml x 12) + (20 ml x 12) + (30 ml x 12) + (25 ml x 12) + (20 ml x 12) + (15 ml x 12).

Page 112
1. a) (3 x 250) + (2 x 250) + (0,5 x 250) + 15 + (2 x 5) = 750 + 500 + 125 + 15 + 10 = 1 400 ml
   b) (2,25 x 250) + (1,5 x 250) + (2 x 15) + 15 + (5 x 5) = 562,5 + 375 + 30 + 15 + 25 = 1007,5 ml
   c) (0,75 x 250) + (0,5 x 250) + (0,25 x 250) + 15 + (2 x 5) = 187,5 + 125 + 62,5 + 15 + 10 = 400 ml
   d) (5 x 250) + (4,75 x 250) + (2,5 x 250) + (1,5 x 15) + (1,5 x 5) = 1250 + 1187,5 + 625 + 22,5 + 7,5 = 3092,5 ml

2. 3 – 2 – 8 – 6 – 5 – 10 – 13 – 15 – 9 – 4 – 7 – 16 – 11 – 12 – 1 – 14
   L'ordre croissant consiste à placer les nombres du plus petit au plus grand.
   1. 36 + 4,546 + 1,137 = 41,683
   2. 4 x 0,568 = 2,272
   3. 1,137 + 0,568 = 1,705
   4. 36 – 4,546 = 31,454
   5. 4,546 + 1,137 – 0,568 = 5,115
   6. 3 x 1,137 = 3,411
   7. 36 – 4,546 + 0,568 = 32,022
   8. 4,546 – 1,137 – 0,568 = 2,841
   9. 5 x 4,546 = 22,73
   10. 10 x 0,568 = 5,68
   11. 36 + 0,568 = 36,568
   12. 36 + 4,546 – 1,137 = 39,409
   13. 7 x 1,137 = 7,959
   14. 36 + 36 + 4,546 = 76,546
   15. 4,546 + 4,546 + 1,137 = 10,229
   16. 36 + 1,137 – 4,546 = 32,591

TEST 14.1
Page 113
1. Il restera 10 litres d'essence dans le réservoir de la voiture de Marjorie.
   Pour trouver le nombre de litres d'essence qu'il restera dans le réservoir, on multiplie d'abord le nombre de litres contenu dans le réservoir plein (42) par le nombre de kilomètres que la voiture peut parcourir pour chaque litre (13). Ensuite, on soustrait la distance entre Halifax et Fredericton (416) du produit obtenu (546). Enfin, on divise cette différence (130) par le nombre de kilomètres que la voiture peut parcourir pour chaque litre (13).
2. Le pomiculteur doit produire 2625 litres de jus de pomme.
   Pour calculer le nombre de litres de jus de pomme à produire, on convertit d'abord les unités de mesure en utilisant le tableau du Système international, puis on multiplie le nombre de bouteilles (3500) par le nombre de litres contenu dans une bouteille (0,75).
3. Bérénice et Jasmin ont besoin de 106 tasses d'eau pour remplir les 5 écluses.
   Pour calculer le nombre de tasses d'eau, on considère qu'un litre contient 4 tasses (1000 ÷ 250 = 4). Ensuite, on multiplie le nombre d'écluses (5) par le nombre de litres (5,3) par le nombre de tasses dans un litre (4).

Page 114
1. *Avant d'effectuer les calculs, on doit convertir les mesures en utilisant le tableau du Système international.*
   a) 1 500 + 750 + 750 + 100 + 100 + 100 = 3300 ml
   b) 0,75 + 0,75 + 0,75 + 0,75 + 0,5 + 0,5 + 0,5 + 0,1 + 0,1 = 4,7 l
   c) 1500 + 1500 + 500 + 500 + 500 + 500 + 100 + 100 + 100 + 100 + 100 = 5500ml
   d) 1,5 + 1,5 + 1,5 + 0,75 + 0,75 + 0,75 + 0,75 + 0,5 + 0,5 + 0,1 + 0,1 + 0,1 + 0,1 = 8,9 l
   e) 750 + 750 + 750 + 750 + 750 + 750 + 750 + 750 + 500 + 500 + 500 + 500 + 500 + 500 = 9000 ml
   f) 1,5 + 1,5 + 1,5 + 1,5 + 1,5 + 0,1 + 0,1 + 0,1 + 0,1 + 0,1 + 0,1 + 0,1 = 8,2 l
   g) 750 + 750 + 750 + 750 + 750 + 100 + 100 + 100 + 100 = 4150 ml
   h) 1,5 + 1,5 + 1,5 + 1,5 + 0,5 + 0,5 + 0,5 = 7,5 l

TEST 15
Page 115
1. Un groupe de 6 dauphins peut avaler 1050 kg de harengs en une semaine.
   Pour calculer le nombre de kilogrammes de harengs, on divise le poids d'un dauphin (75) par 3. Ensuite, on multiplie le quotient obtenu par le nombre de dauphins (25 x 6). Puis on multiplie le produit obtenu par le nombre de jours dans une semaine (150 x 7).
2. Le chasseur de météorites a dû transporter une masse de 2119 g.
   Pour calculer la masse que le chasseur de météorites a dû transporter, on additionne le poids des météorites, puis on additionne à cette somme le poids de deux besaces (485 + 278 + 346 + 91 + 67 + 143 + 209 + 250 + 250).
3. La masse de l'humain est 35 000 fois plus grande que celle de la musaraigne pygmée et 2000 fois plus petite que celle du rorqual bleu.
   Pour trouver combien de fois le poids de l'humain est plus grand par rapport à celui de la musaraigne, on convertit les unités de mesure en utilisant le tableau du Système international (70 kg = 70 000 g), puis on divise ce nombre par le poids de la musaraigne (70 000 ÷ 2). Pour trouver combien de fois le poids de l'humain est plus petit que celui du rorqual bleu, on divise le poids du rorqual bleu par celui de l'humain (140 000 ÷ 70).

Page 116
1. a) (2 x 175) + 225 + (0,25 x 110) + (3 x 15) + (2 x 12) = 671,5 g
   b) (3,5 x 175) + (1,5 x 225) + (0,5 x 110) + 12 + (4,5 x 10) = 1062 g
   c) (0,75 x 175) + (225 ÷ 3) + (10 x 12) + (0,5 x 15) + (5 x 10) = 383,75 g
   d) 175 + 225 + (4 x 15) + (3,25 x 12) + (2 x 10) = 519 g
2. *L'ordre décroissant consiste à placer les nombres du grand au plus petit.*

1.	**14**	5 x 3,17 = 15,85
2.	**8**	28,35 + 28,35 + 3,17 = 59,87
3.	**4**	450 – 3,17 + 28,35 = 475,18
4.	**10**	28,35 + 3,17 – 1,77 = 29,75
5.	**13**	10 x 1,77 = 17,7
6.	**3**	450 + 28,35 + 1,77 = 480,12
7.	**2**	450 + 450 – 28,35 = 871,65
8.	**9**	28,35 + 28,35 – 1,77 = 54,93
9.	**7**	3 x 28,35 = 85,05
10.	**12**	28,35 – 3,17 – 1,77 = 23,41
11.	**6**	450 – 28,35 – 3,17 = 418,48
12.	**5**	450 – 28,35 + 1,77 = 423,42
13.	**11**	28,35 – 3,17 + 1,77 = 26,95
14.	**1**	2 x 450 = 900
15.	**16**	3,17 + 3,17 – 1,77 = 4,57
16.	**15**	6 x 1,77 = 10,62

TEST 15.1
Page 117
1. *Avant de faire les calculs, on doit convertir les unités de mesure en utilisant le tableau du Système international.*
   Il ne faut pas oublier de commencer avec le poids de la valise (2,3 kg).
   Vincent → 2,3 + (3 x 0,6) + (4 x 0,55) + (7 x 0,3) + (3 x 0,8) + (6 x 0,125) + (2 x 0,25) + (6 x 0,1) + 0,5 + (3 x 0,15) = 13,6
   → 13,6 – 10 = 3,6
   Patricia → 2,3 + (2 x 0,575) + (2 x 0,5) + (2 x 0,8) + (4 x 0,1) + 0,75 + (5 x 0,125) + 0,85 + (5 x 0,09) + 0,2 = 9,325

Vincent :	Patricia :
13,6 kg	9,325 kg
NON	OUI
3,6 kg excédentaire	Aucun poids excédentaire

2. Chaque invité a englouti 0,35 kg de saucisse et 0,5 kg de choucroute.
   Pour trouver la quantité de saucisse et de choucroute engloutie par chaque invité, on divise chaque quantité totale (30,1 kg et 43 kg) par 86.

Page 118
1. *Avant d'effectuer les calculs, on doit convertir les mesures en utilisant le tableau du Système international.*
   a) 25 + 25 + 10 + 10 + 7 + 7 + 7 = 91 kg
   b) 25 + 25 + 25 + 7 + 7 + 7 + 7 + 1,5 = 104,5 kg
   c) 10 + 10 + 10 + 10 + 10 + 7 + 7 + 7 + 7 + 7 = 85 kg
   d) 25 + 25 + 25 + 25 + 1,5 + 1,5 + 1,5 + 1,5 + 1,5 + 1,5 + 1,5 = 110,5 kg
   e) 10 + 10 + 10 + 7 + 7 + 7 + 1,5 + 1,5 = 54 kg
   f) 25 + 25 + 25 + 25 + 25 + 25 + 7 + 7 + 7 + 7 + 7 + 7 = 192 kg
   g) 7 + 7 + 7 + 7 + 1,5 + 1,5 + 1,5 + 1,5 + 1,5 = 35,5 kg
   h) 25 + 10 + 10 + 10 + 10 + 7 + 7 = 79 kg

TEST 16
Page 119
1. *Le diagramme circulaire est une représentation graphique dans laquelle on exprime des données quantitatives à l'aide d'une section proportionnelle à la totalité du disque. Pour répondre aux questions, on multiplie le nombre de légumes par le pourcentage (par exemple : 22 % → 1500 x 22 ÷ 100 ou 1500 x 0,22).*
   a) 1500 x 16 ÷ 100 = 240 endives
   b) 1500 x 23 ÷ 100 = 345 radis
   c) 10 + 7 = 17 → 1500 x 17 ÷ 100 = 255 betteraves et haricots
   d) 12 – 4 = 8 → 1500 x 8 ÷ 100 = 120 choux-raves
   e) 22 – 6 = 16 → 1500 x 16 ÷ 100 = 240 navets
2. La moyenne d'achalandage quotidien au guichet automatique de la banque est de 45 clients.
   Pour calculer la moyenne, on additionne ensemble tous les clients, puis on divise la somme obtenue par le nombre de jours.
   39 + 42 + 36 + 27 + 58 + 75 + 40 = 317
   317 ÷ 7 = 45,28…

Page 120
3. *Dans ce diagramme à bandes, le nombre de journées avec précipitations est indiqué par un ruban vertical. Pour trouver le nombre de journées avec précipitations associé à chaque ville, il suffit de suivre la ligne horizontale à la colonne des nombres.*
   a) 100 jours
   b) 75 jours
   c) 295 jours (365 – 70 = 295)
   d) New Delhi
   e) Ottawa et Paris
   f) 35 jours (130 – 95 = 35)
   g) 25 jours (130 – 105 = 25)

Page 121
1. *Pour répondre aux questions, on observe le diagramme circulaire et on effectue des équations (additions et soustractions)*
   a) 123 + 148 + 95 + 107 + 113 + 72 + 89 = 747 pièces de vaisselle
   b) 89 + 72 + 113 = 274 ustensiles
   c) 148 – 113 = 35 fourchettes de moins que de soucoupes
   d) 107 – 89 = 18 cuillers de moins que de coupes
   e) On doit y aller avec le plus petit nombre d'ustensiles soit 72 couteaux.
2. *Dans ce diagramme à bandes, le nombre d'heures passées devant le téléviseur est indiqué par un ruban horizontal d'une teinte différente pour chaque membre de la famille, et ce, pour chaque jour de la semaine.*
   a) 2,75 + 2,5 + 1,75 + 2 + 3,5 + 2,5 + 3 = 18 heures
   b) 3,25 + 3 + 2,5 + 2,25 + 2 + 2 + 2,5 = 17,5
      → 17,5 ÷ 7 = 2,5 heures
   c) 3 + 1,75 + 2,5 + 2 = 9,25 heures

Page 122

3. *Pour calculer la moyenne arithmétique, on additionne ensemble tous les nombres, puis on divise par la quantité de nombres additionnés. Pour arrondir au dixième près, on observe le chiffre qui se situe à la position des centièmes, soit le 2ᵉ chiffre après la virgule en allant vers la droite. Si ce chiffre est égal à 0, 1, 2, 3 ou 4, le chiffre des dixièmes reste le même, et on remplace tous les chiffres qui suivent par des 0. Si ce chiffre est égal à 5, 6, 7, 8 ou 9, on ajoute 1 au chiffre des dixièmes, et on remplace tous les chiffres qui suivant par des 0.*

a) 7,5 + 8,9 + 6,4 + 5,7 + 9,1 + 6,8 + 8,2 + 7,3 = 59,9
→ 59,9 ÷ 8 = 7,4875 → 7,5

b) 27 + 31 + 29 + 44 + 35 + 66 + 32 + 29 = 293
→ 293 ÷ 8 = 36,625 → 36,6

c) 96 + 82 + 77 + 85 + 60 = 400 → 400 ÷ 5 = 80 → 80

d) 563 + 580 + 532 + 564 + 579 + 581 = 3399
→ 3399 ÷ 6 = 566,5 → 566,5

e) 1,96 + 1,57 + 1,36 + 1,48 = 6,37 → 6,37 ÷ 4 = 1,5925 → 1,6

f) 87,54 + 90,03 + 64,8 + 74,63 = 317 → 317 ÷ 4 = 79,25 → 79,3

4. *Pour répondre aux questions, on doit d'abord multiplier le nombre de participants par le pourcentage de chaque sport (par exemple : 25 % → 500 x 25 ÷ 100 ou 500 x 0,25).*

a) 55 participants : 500 x 11 ÷ 100 = 55

b) 40 participants : 500 x 8 ÷ 100 = 40

c) 355 participants : 100 – 17 – 12 = 71 → 500 x 71 ÷ 100 = 355

d) 105 participants : 27 – 6 = 21 → 500 x 21 ÷ 100 = 105

e) 45 participants : 14 – 5 = 9 → 500 x 9 ÷ 100 = 45

Page 123

5. a) 356 975 – 22 365 = 334 610 habitants

b) 679 605 – 187 695 = 491 910 habitants

c) 118 255 + 504 110 + 107 635 = 730 000 habitants

d) 10 000 + 18 660 + 810 = 29 470 habitants

e) 70 265 + 20 185 + 138 210 + 107 635 = 336 295 habitants

TEST 16.1

Page 124

1. a) Les participants D et E
On doit repérer les deux distances les plus longues.

b) Le lancer 3 du participant C
On doit repérer la distance la plus courte.

c) 86,8 m
85,82 + 86,9 + 87,11 + 87,26 = 347,09 → 347,09 ÷ 4 = 86,7725

d) 86,91 m
83,56 + 86,9 + 84,37 + 89,78 + 89,93 = 434,54
→ 434,54 ÷ 5 = 86,908

2. *Dans ce diagramme à ligne brisée, la vitesse de pointe pour chaque coureur est marquée par un point. Pour trouver la vitesse de pointe de chaque coureur, il suffit de suivre la ligne horizontale vis-à-vis le point de chaque coureur et menant à la colonne des nombres.*

a) Le coureur F

b) 379,25 km/h
374 + 383 + 380 + 378 + 372 + 387 + 376 + 384 = 3034
→ 3034 ÷ 8 = 379,25

c) Le coureur C

Page 125

3. a) 2 x 7 = 14 heures
b) 8 x 365 = 2920 heures
c) 1,5 x 31 = 46,5 heures
d) 3 ÷ 24 = 12,5 %

4. a) 33,73 $
4,19 + 6,50 + 6,00 + 14,70 + 1,35 + 0,99 = 33,73

b) Épicerie B
On doit repérer les plus petits montants.

c) 5,51 $
5,90 + 4,45 + 4,99 + 6,25 + 6,50 + 4,99 = 33,08
→ 33,08 ÷ 6 = 5,5133…

d) 13,00 $
12,39 + 10,74 + 11,99 + 12,25 + 14,70 + 13,88 = 75,95
→ 75,95 ÷ 6 = 12,6583…

Page 126

1. *Avant de colorier les pointes du diagramme circulaire, on forme des fractions (le numérateur étant le nombre de personnes par catégorie et le dénominateur étant le total de répondants, soit 64) :*

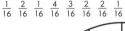

Ensuite, on ramène le dénominateur de chaque fraction à 16, soit le nombre de pointes dans le diagramme. Pour ce faire, on divise 64 par 16, ce qui donne 4. On divise également chaque numérateur par 4, ce qui nous donnera le nombre de pointes par catégories à colorier.

$$\frac{1}{16} \quad \frac{2}{16} \quad \frac{1}{16} \quad \frac{4}{16} \quad \frac{3}{16} \quad \frac{2}{16} \quad \frac{2}{16} \quad \frac{1}{16}$$

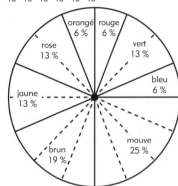

Page 127

2. *Avant de répondre aux questions, on doit trouver les températures manquantes en les calculant à partir des indices fournis :*
En juillet, à Prague : 26 – 3= 23 °C
En janvier, à Zurich : 12 ÷ 6 = 2 °C
En avril, à Nairobi : 12 x 2 = 24 °C
En octobre, à Helsinki : 14 ÷ 2 = 7 °C
En juillet, à Athènes : 25 + 7 = 32 °C
En janvier, à Dublin : 25 – 17 = 8 °C
En avril, à San José : 13 x 2 = 26 °C
En octobre, à Istanbul : 19 °C

	janvier	avril	juillet	octobre
Athènes, Grèce	12 °C	19 °C	32 °C	23 °C
Dublin, Irlande	8 °C	12 °C	19 °C	14 °C
Helsinki, Finlande	- 2 °C	6 °C	22 °C	7 °C
Istanbul, Turquie	9 °C	15 °C	26 °C	19 °C
Nairobi, Kenya	25 °C	24 °C	21 °C	25 °C
Prague, République tchèque	1 °C	13 °C	23 °C	12 °C
San José, Costa Rica	24 °C	26 °C	25 °C	25 °C
Zurich, Suisse	2 °C	16 °C	25 °C	14 °C

a) La température annuelle moyenne à Helsinki est de 8 °C.
– 2 + 6 + 22 + 7 = 33 → 33 ÷ 4 = 8,25

b) La température annuelle moyenne à Prague est de 12 °C.
1 + 13 + 23 + 12 = 49 → 49 ÷ 4 = 12,25

c) La ville la plus froide est Helsinki en janvier.

d) La ville la plus chaude est Athènes en juillet.

e) La ville de San José subit de moins grands écarts de température.

Page 128

3. *Avant de répondre aux questions, on doit trouver les mesures manquantes en les calculant à partir des indices fournis et en tenant compte des unités de mesure :*
Garçons de 12 ans : 150 cm
Filles de 14 ans : 160 cm
Filles de 8 ans : 127 cm
Garçons de 8 ans : 127 cm
Garçons de 10 ans : 150 cm − 11 cm = 139 cm
Filles de 16 ans : 127 cm + 36 cm = 163 cm
Filles de 10 ans : 138 cm
Filles de 12 ans : 138 + 13 = 151 cm
Garçons de 14 ans : 160 cm + 5 cm = 165 cm
Garçons de 16 ans : 163 cm + 11 cm = 174 cm

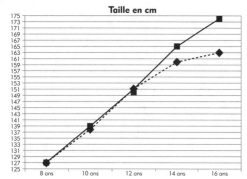

Taille en cm

a) La taille d'un garçon peut augmenter de 47 cm entre 8 et 16 ans.
(174 − 127 = 47)
b) En moyenne, la taille d'un garçon augmente de 5,9 cm chaque année.
(47 ÷ 8 = 5,875)
c) La taille d'une fille peut augmenter de 36 cm entre 8 et 16 ans.
(163 − 127 = 36)
d) En moyenne, la taille d'une fille augmente de 4,5 cm chaque année.
(36 ÷ 8 = 4,5)

TEST 17
Page 129

1. *La probabilité est le rapport entre le nombre de fois qu'un événement déterminé se produit et le nombre de résultats possibles.*

	caramel	chocolat	érable	fraises	ananas	arachides
caramel	x	C – Ch	C – É	C – F	C – A	C - Ar
chocolat	x	x	Ch – É	Ch – F	Ch – A	Ch – Ar
érable	x	x	x	É – F	É – A	É – Ar
fraises	x	x	x	x	F – A	F – Ar
ananas	x	x	x	x	x	A – Ar
arachides	x	x	x	x	x	x

a) Le tableau comporte les 6 saveurs à l'horizontale et à la verticale. Puisque le glacier décide de mettre 2 garnitures au hasard, on doit éliminer les paires comportant 2 fois la même garniture. On élimine aussi les paires qui se répètent. En tout, on devrait retrouver 15 paires.

b) La probabilité qu'Heidi obtienne une coupe glacée au chocolat et aux arachides est de 1 sur 15.
On doit compter le nombre de fois que la paire chocolat-arachides revient dans le tableau.
c) La probabilité qu'Heidi ne mange pas la coupe glacée qu'on lui remet est de 5 sur 15.
On doit compter le nombre de fois qu'une paire comprenant l'ananas revient dans le tableau.

Page 130

1. *Voir page 129, n° 1.*
a) Il y a 32 combinaisons possibles :
assiette-soucoupe-bol ; assiette-soucoupe-tasse ; assiette-soucoupe-fourchette ; assiette-soucoupe-cuiller ; assiette-soucoupe-couteau ; assiette-bol-tasse ; assiette-bol-fourchette ; assiette-bol-cuiller ; assiette-bol-couteau ; assiette-tasse-fourchette ; assiette-tasse-cuiller ; assiette-tasse-couteau ; assiette-fourchette-cuiller ; assiette-fourchette-couteau ; assiette-cuiller-couteau ; soucoupe-bol-tasse ; soucoupe-bol-fourchette ; soucoupe-bol-cuiller ; soucoupe-bol-couteau ; soucoupe-tasse-fourchette ; soucoupe-tasse-cuiller ; soucoupe-tasse-couteau ; soucoupe-fourchette-cuiller ; soucoupe-fourchette-couteau ; soucoupe-cuiller-couteau ; bol-tasse-fourchette ; bol-tasse-cuiller ; bol-tasse-couteau ; tasse-fourchette-cuiller ; tasse-fourchette-couteau ; tasse-cuiller-couteau ; fourchette-cuiller-couteau
On doit former des trios de couverts dans lesquels on retrouve trois couverts différents. Chaque trio ne doit pas se répéter, même dans le désordre.
b) La probabilité que le serveur brise seulement une pièce de vaisselle est de 9 sur 32.
On compte le nombre de trios dans lesquels on retrouve une seule pièce de vaisselle (assiette, soucoupe, bol ou tasse).
c) La probabilité que le serveur n'ait qu'à rincer les ustensiles est de 1 sur 32.
On compte le nombre de trios dans lesquels on retrouve les trois ustensiles (fourchette, cuiller et couteau).

Page 131

2. *Voir page 129, n° 1.*
a)

1re position	2e position	3e position	4e position	5e position
Italien	Chilien	Koweïtien	Canadien	Zaïrois
Italien	Chilien	Zaïrois	Canadien	Koweïtien
Italien	Koweïtien	Chilien	Canadien	Zaïrois
Italien	Koweïtien	Zaïrois	Canadien	Chilien
Italien	Zaïrois	Chilien	Canadien	Koweïtien
Italien	Zaïrois	Koweïtien	Canadien	Chilien
Chilien	Italien	Koweïtien	Canadien	Zaïrois
Chilien	Italien	Zaïrois	Canadien	Koweïtien
Chilien	Koweïtien	Italien	Canadien	Zaïrois
Chilien	Koweïtien	Zaïrois	Canadien	Italien
Chilien	Zaïrois	Italien	Canadien	Koweïtien
Chilien	Zaïrois	Koweïtien	Canadien	Italien
Koweïtien	Italien	Chilien	Canadien	Zaïrois
Koweïtien	Italien	Zaïrois	Canadien	Chilien
Koweïtien	Chilien	Italien	Canadien	Zaïrois
Koweïtien	Chilien	Zaïrois	Canadien	Italien
Koweïtien	Zaïrois	Italien	Canadien	Chilien
Koweïtien	Zaïrois	Chilien	Canadien	Italien
Zaïrois	Italien	Chilien	Canadien	Koweïtien
Zaïrois	Italien	Koweïtien	Canadien	Chilien
Zaïrois	Chilien	Italien	Canadien	Koweïtien
Zaïrois	Chilien	Koweïtien	Canadien	Italien
Zaïrois	Koweïtien	Italien	Canadien	Chilien
Zaïrois	Koweïtien	Chilien	Canadien	Italien

On doit former des quatuors dans lesquels se retrouvent le Canadien et trois autres coureurs de nationalités différentes. Chaque quatuor ne doit pas se répéter, sauf dans le désordre.
b) La probabilité que le Koweïtien remporte la médaille d'or est de 6 sur 24.
On compte le nombre de quatuors dans lesquels on retrouve le Koweïtien en 1re position.
c) La probabilité que le Zaïrois remporte une médaille est de 18 sur 24.
On compte le nombre de quatuors dans lesquels on retrouve le Zaïrois en 1re, 2e ou 3e position.

TEST 17.1

Page 132

1. *Voir page 129, n° 1.*

   a) *Puisqu'une personne peut être garçon ou fille, on divise le diagramme en arbre de 2 branches qui se subdivisent ensuite de la même manière en 3 autres branches (1 + 3 = 4 personnes).*

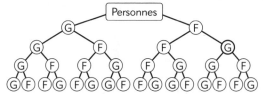

   b) La probabilité que les 4 personnes soient toutes des filles est de 1 sur 16.
   On compte le nombre de fois que 4 filles reviennent dans la même branche.

   c) La probabilité que les 4 personnes soient 2 garçons et 2 filles est de 6 sur 16.
   On compte le nombre de fois que 2 garçons et 2 filles reviennent dans la même branche.

Page 133

1. a) Accepter tout parcours respectant les règles.
      Voici quelques exemples :
      11-12-13-18-19-24; 11-12-13-14-19-24; 11-16-17-18-19-24;
      11-16-21-22-23-24; 11-6-1-2-3-4-9-14-19-24
   Le plus court parcours compte 6 cases.

   b) Accepter tout parcours respectant les règles.
      Voici quelques exemples :
      8-3-4-9 / 8-13-14-9 / 8-3-4-5-10-9 / 8-7-2-3-4-9
      8-13-18-23-24-19-14-9
   Le plus court parcours compte 2 cases.

Page 134

2. *Voir page 129, n° 1.*

   a) Gratin de légumes – Salade verte – Poulet à la moutarde – Baba au rhum / Gratin de légumes – Salade verte – Canard à l'orange – Baba au rhum / Gratin de légumes – Salade verte – Caille à l'origan – Baba au rhum / Gratin de légumes – Salade verte – Agneau au safran – Baba au rhum / Gratin de légumes – Salade César – Poulet à la moutarde – Baba au rhum / Gratin de légumes – Salade César – Canard à l'orange – Baba au rhum / Gratin de légumes – Salade César – Caille à l'origan – Baba au rhum / Gratin de légumes – Salade César – Agneau au safran – Baba au rhum / Gratin de légumes – Potage parmentier – Poulet à la moutarde – Baba au rhum / Gratin de légumes – Potage parmentier – Canard à l'orange – Baba au rhum / Gratin de légumes – Potage parmentier – Caille à l'origan – Baba au rhum / Gratin de légumes – Potage parmentier – Agneau au safran – Baba au rhum / Gratin de légumes – Gaspacho – Poulet à la moutarde – Baba au rhum / Gratin de légumes – Gaspacho – Canard à l'orange – Baba au rhum / Gratin de légumes – Gaspacho – Caille à l'origan – Baba au rhum / Gratin de légumes – Gaspacho – Agneau au safran – Baba au rhum
   On doit former des quatuors dans lesquels on retrouve le gratin de légumes en hors-d'œuvre et le baba au rhum au dessert.

   b) La probabilité qu'un client commande une salade est de 8 sur 16.
   On compte le nombre de quatuors dans lesquels on retrouve la salade en entrée.

   c) La probabilité qu'un client commande de la volaille est de 12 sur 16.
   On compte le nombre de quatuors dans lesquels on retrouve la volaille en plat principal.